P9-CDC-252
CHICAGO PUBLIC LIBRARY

Benito Juárez

GRANDES MEXICANOS ILUSTRES

BENITO JUÁREZ

Francisco Caudet Yarza

DASTIN, S.L.

© DASTIN, S.L.
Polígono Industrial Európolis, calle M, 9
28230 Las Rozas - Madrid (España)
Tel: + (34) 916 375 254
Fax: + (34) 916 361 256
e-mail: info@dastin.es
www.dastin.es

I.S.B.N.: 84-492-0319-8
Depósito legal: M-15.902-2003
Coordinación de la colección: Raquel Gómez

Impreso en España - Printed in Spain

El problema del futuro de México es inseparable del de Hispanoamérica, y éste, a su vez, está comprendido en otro: el futuro de las relaciones entre América Latina y los Estados Unidos.

Benito Juárez

Introducción

— Sinopsis histórico-biográfica —

La tendencia *perspectivista* del filósofo español José Ortega y Gasset le llevó a acuñar una frase en la que quizá estén reunidos y resumidos el realismo y el idealismo: *Yo soy yo y mis circunstancias,* lo que equivale a decir que el hombre *es él y sus circunstancias.* Si entendemos el vocablo *circunstancia* como un *accidente,* una *coyuntura,* una *situación,* un *episodio,* o bien el hecho de *existir en un contexto o fuera de él, o ser, en cierto modo, algo que puede influir en ese mismo contexto,* estamos admitiendo el *amplio abanico circunstancial* en el que los seres humanos se desenvuelven en el trayecto de su existencia, trayecto que no sólo les permite ser ellos y *sus circunstancias,* sino integrarse en la *gran circunstancia del mundo y de la vida,* creando su propia historia, la cual deberá integrarse forzosamente en la amplia y compleja dinámica de la *historia misma,* de la *historia universal.*

La conclusión más concreta, coherente y racional que se obtiene de lo expuesto en el párrafo anterior, es que todo hombre escribe su historia, grande o pequeña, espectacular o intrascendente, su personal capítulo, en aquella historia en la que se ha integrado por el simple hecho de *ser,* de *existir...* La huella de esa historia personal dependerá siempre de las *circunstancias* aludidas por Ortega y Gasset, como también el hecho de que perdure o se desvanezca en la vorágine de los recuerdos confusos, anónimos; de que muera con el protagonista o de que le sobreviva en el universo tiempo-espacio.

Benito Pablo Juárez García se inscribió en la órbita contextual de una serie de *circunstancias,* políticas para ser exactos, redactando su *propia historia* en función de la que le había tocado vivir, y la escribió con tal sencillez y profundidad, que le ha permitido seguir vigente en contextos históricos posteriores porque, Juárez, fue uno de los elegidos para dejar huella y constancia, en el mundo y la historia, de su firme impronta, su carácter indómito, su honestidad, sus patriotismo...

Pero cuando Benito saltó del claustro materno al pueblo de San Pablo de Guelatao (Estado de Oaxaca), México tenía su historia, una historia que precedía en siglos a la llegada de Juárez, aunque éste se viera dos años después plenamente involucrado en aquélla.

Bueno será que veamos cuál fue la historia con que se encontró Benito Juárez a su *llegada* y cómo, luego, se integró, formó parte de la misma.

El territorio que hoy constituye la nación de México fue poblado por descendientes de los grupos nómadas protomongoles que llegaron a América desde Asia, a través del estrecho de Bering. Su poblamiento se debió realizar desde el norte, aproximadamente el año 12000 antes de Cristo. A partir del 1500 se encuentran culturas que dejan ya importantes restos arquitectónicos y arqueológicos que permiten rastrear la existencia de una organización social y creencias religiosas bastante adelantadas. Del 2000 al 900 de nuestra era las ciudades adquirieron importancia, destacando las de Cholula, Xochimilco, Tajín, Monte Albán y Teotihuacán, cuya cultura evidencia su relación con el pueblo maya. Hacia mediados del siglo VI una invasión procedente del norte ocupa los valles de México y Puebla, iniciándose bajo su influencia un nuevo período: *el de los imperios.*

El primero de ellos fue el de los toltecas, tribus de raza nahua procedentes de California del Norte, siendo su primer rey Chalchihatkanetzin (667); la monarquía adquirió su máximo esplendor y desarrollo bajo Tampancazin, hacia el final del primer milenio de nuestro calendario. El segundo imperio fue el de los chichimecas, también procedentes del norte, culturalmente inferior a los toltecas; dirigidos por Xólotl, destruyen el primer imperio e inician un período de expansión (este imperio duró hasta 1430). Mientras los chichimecas consolidaban su monarquía, llegaron las familias *nahuatlacas:* xochimilca, chalca, tecpaneca, acolua, tlaxcalteca y azteca. Tenochtitlán se convirtió en principal centro político de estos territorios con carácter de capitalidad; el primer jefe de los aztecas después del establecimiento y fundación del centro urbano de Tenochtitlán fue Acamapitchtli, sucediéndole Huitzilihuitl, que sometió la ciudad de Texcoco. Le sucedió Itzcoatl, que con la colaboración de Texcoco y Tlacopan venció a los tecpanecas, independizándose por completo de ellos. En 1440 llegó Moctezuma I el Iracundo, que continuó idéntica política que su antecesor, extendiendo el dominio de Tenochtitlán hacia el este y sur, siendo sustituido (1469) por Axayácatl, bajo cuyo mandato se propagó el dominio de su pueblo hasta Oaxaca (estado en el que habría de nacer Juárez) y Tehuantepec, tras someter a Tlatelolco; Tizoc, su hermano, le relevó en 1479. Ahuitzotl subió al trono en 1486 y levantó el gran templo de Tenochtitlán, siendo sucedido en 1503 por su sobrino Moctezuma II, que encabezó un gobierno lleno de dificultades; en su transcurso se produjo (1519) la invasión de Hernán Cortés.

El conquistador español tenía buena experiencia en asuntos indianos y un notable bagaje intelectual, y por su valor y simpatía participó en la campaña de Cuba bajo las órdenes de Diego Velázquez de Cuéllar, quien le nombró alcalde de Santiago, pero no obstante, y por asuntos personales, ambos personajes se separan por la enemistad y Velázquez trató de impedir la salida de la expedición de Cortés, pero fue burlado por éste, que pudo partir del puerto de La Habana el 10 de febrero de 1519 y, siguiendo la ruta de Grijalba, llegó a la isla de Cozumel, donde se le unió Jerónimo de Aguilar, español que llevaba ocho años de convivencia con los indios y dominaba su idioma. Tras remontar el río Grijalba hasta llegar a Tabasco, fueron recibidos hostilmente por los nativos, pero éstos resultaron derrotados y para congraciarse con los invasores les entregaron regalos, entre ellos a la india *Malinche* (Marina), que conocía veinte lenguas.

En Ulúa se realiza el primer contacto de Cortés con el Imperio azteca, legalizando su situación administrativa luego del desembarco para fundar seguidamente la ciudad de Villa Rica de la Veracruz (1519). El extremeño manifiesta sus proyectos a los embajadores de Moctezuma, al tiempo que solicita una entrevista con éste, pero el emperador azteca se niega, lo que hace que Cortés, con quien colaboran los totonecas, se adentre en el territorio yendo al encuentro de Moctezuma. En su marcha, los españoles llegan a la zona ocupada por los tlaxcaltecas, enemigos de los aztecas y su jefe, Xicoténcatl, los combate, pero son vencidos; en su peregrinaje hacia Tenochtitlán, Cortés entró en contacto con los cholutecas que, negándose a aceptar la soberanía del rey de España, le tendieron una emboscada que, sin embargo, fue descubierta por Malinche y los indios tuvieron que someterse. Después de alojarse en Ixtapalapa, atendidos por Cuitláhuac, hermano de Moctezuma, los españoles prosiguieron por la gran calzada que atravesaba la laguna. Finalmente, el emperador se entrevista con Cortés y éste es invitado a visitar los templos de los dioses mexicanos y, no pudiendo el extremeño ocultar su aversión y repugnancia ante los sacrificios humanos, sus relaciones con Moctezuma se deterioraron ostensiblemente. Advirtieron Cortés y los suyos la peligrosidad de la situación en que se encontraban, apresurándosc a construir dos bergantines para huir de Tenochtitlán. No obstante, y en una última intentona a la desesperada, los españoles apresaron a Moctezuma, quien aceptó la soberanía de España, prometiendo pagar tributo al rey y, además, entregó su tesoro sin conseguir por ello la libertad.

Mientras Cortés acudía a combatir a las fuerzas de Narváez, enviado por Velázquez para apresarlo, Alvarado atacó a los indios matando a varios jefes de los que tenía vigilados con Moctezuma. Asesinados por los indios, los españoles se replegaron con algunas bajas, quedándoles como única posibilidad de salvar la vida salir de Tenochtitlán; Cortés ordenó la retirada, que se intentó la noche del

30 de junio, en la llamada *Noche Triste,* pero los indios cayeron sobre ellos cuando atravesaban la laguna. Con los 400 soldados que le quedaban, el extremeño se dirigió hacia Tlaxcala para buscar refuerzos, pero antes de llegar fue nuevamente atacado por los aztecas en la llanura de Apam, cerca de Otumba; al fin logró vencerlos, el 7 de julio, y pudo llegar a su destino. El ataque de Tenochtitlán se preparó desde Texcoco, a la que, lo mismo que Ixtapalapa, había sometido Cortés. Xalcoton y Tacuba resistieron. Con la ayuda de los indios y refuerzos llegados a Veracruz se inició el asedio a la capital azteca, hasta que el 13 de agosto de 1521 se rindió Cuauhtémoc y Tenochtitlán quedó casi arrasada, reconstruyéndola Cortés, para lo cual abasteció y nombró su cabildo, como si fuera una ciudad de nueva creación, recibiendo por todo ello plácemes y recompensas de Carlos V, amén del nombramiento en 1522 de gobernador y *justicia mayor* de los territorios por él conquistados.

Hernán Cortés procuró organizar el país bajo nuevas y ventajosas bases, repartiendo las tierras entre sus soldados al tiempo que procuraba el establecimiento de colonos españoles, introduciendo así mismo el cultivo de nuevas plantas y la cría de especies de animales procedentes del Viejo Mundo. Su obra de gobierno estuvo asentada en sus *Ordenanzas de buen gobierno* y *Ordenanzas para el buen trato a los indios,* dictadas en 1524. A su regreso a España fue recibido por el emperador, que le concedió el título de marqués del Valle de Oaxaca y el de capitán general de la Nueva España. Continuó dirigiendo expediciones descubridoras y tuvo mejores relaciones con la segunda Audiencia, forma de gobierno que fue sustituida por la del virreinato, primero que se fundó en América, nombrándose virrey a Antonio de Mendoza (1535-1550) y con ello se puso fin a todas las atribuciones de gobierno de Cortés, que abandonó Nueva España para regresar a la Península, falleciendo en un pueblo de Sevilla en 1547. Hasta 1564 desempeñó el virreinato Luis de Velasco, siguiendo a su muerte un período bastante agitado para Nueva España en el que gobernó la Audiencia; al cabo de ocho meses de este gobierno, ocupó el virreinato Martín Enríquez de Almanza (1568-1580), que introdujo en 1571 el tribunal de la Inquisición. Las dificultades financieras obligaron a establecer en Veracruz el impuesto de las Alcabalas (1577). El siguiente virrey fue Lorenzo Suárez de Mendoza, desempeñándolo hasta 1583. De 1585 a 1590 gobernó Álvaro Manrique de Zúñiga, sucedido por el hijo de Luis de Velasco, de igual nombre, que fundó Jalisco, Zacatecas y San Luis Potosí, viniendo después Gaspar de Zúñiga y Acevedo (1595-1603), último virrey del reinado de Felipe II.

El siguiente período se inicia con Juan de Mendoza y Luna (1603-1607), tras el que vuelve Luis de Velasco. Posteriormente se suceden los gobiernos del marqués de Cerralbo, marqués de Cadereyta (1635-1640), que reforzó la vigilancia de las costas, y el duque de Escalona. A partir de aquí se suceden los levantamientos indios, como los que hubieron de sofocar el conde de Salvatierra (1640-1648) y el conde de Alba de Liste (1650-1653); de mestizos, bajo el duque de Alburquerque (1653-1660), y de nuevo de indios, bajo Enríquez de Rivera (1673-1680), el conde de Paredes (1680-1686), Portocarrero (1686-1688), Sandoval Silva (1688-1696) y sus sucesores.

Entrando ya en el período de los *Virreyes del siglo XVIII,* se suceden en esta etapa, con dispar fortuna, Francisco Fernández de la Cueva, duque de Alburquerque (1701-1711); Fernando de Alencastre, duque de Linares (1711-1716); Baltasar de Zúñiga, duque de Arión (1716-1722); Juan de Acuña, marqués de Escalona (1722-1734); el arzobispo de México Juan Antonio Vizarrón (1737-1740), y sus continuadores, entre los que destaca Francisco de Güemes y Horcasitas (1746-1755), bajo cuyo gobierno se inicia el reinado de Fernando VI. Es destacable el interés que el anterior monarca, Felipe V, había puesto en elegir los virreyes entre la aristocracia, y el primer virrey de esta lista es el duque de Alburquerque, que reorganiza la administración y mejora el aprovechamiento de los recursos naturales del país. Con Juan de Acuña se inicia (o inaugura) la participación criolla en el gobierno, y su gestión, realizada con más habilidad y energía al mismo tiempo que la de sus predecesores, se caracteriza por el saneamiento de la hacienda y el fomento de la riqueza, la expulsión de franceses e ingleses del territorio de Belice después de una victoriosa campaña y la publicación del primer periódico mensual: la *Gaceta de México.*

Hay luego, hasta la entrada en España de las tropas de Napoleón, y los comienzos de los movimientos insurrecionales internos, una nómina de catorce virreyes que concluye con Francisco Javier Benegas (1810-1813) y en la que se distingue la actuación desdichada de todos los que fueron nombrados en el período de apogeo político de Godoy.

El *proceso de emancipación* es algo que se cuece en el caldero íntimo de los autóctonos (y al que en principio están totalmente —o al menos se muestran así— ajenas las autoridades españolas), siendo el cerebro del movimiento Ignacio Allende, que, bajo la apariencia de una sociedad literaria, celebró, desde 1810, reuniones en las que se discuten proyectos y planes encaminados a conseguir la emancipación. Ante el temor de que finalmente pudieran ser apresados los principales miembros de la Junta, Allende y Aldama fueron a reunirse con Miguel Hidalgo, cura de Dolores, que ante la gravedad de la situación lanzó con excesiva premura el grito de *¡independencia!*, arrastrando tras de sí masas de indios con los que marchó a Guanajuato, ocupando Valladolid y produciéndose acto seguido su enfrentamiento con el ejército, cerca de México, en el cerro de las Cruces, y otro en Aculco, donde fue estrepitosamente derrotado. Hechos prisioneros, después fueron fusilados Allende, Aldama e Hidalgo, quedando como único jefe insurgente Ignacio López Rayón, que se apoderó de Zacatecas, de donde fue arrojado por las tropas de Calleja; la causa de la emancipación la mantuvo entonces un grupo bajo el mando de un discípulo de Hidalgo, José María Morelos, sacerdote de Carácuaro, que, después de obtener algunos éxitos, se retiró. Morelos delegó su autoridad en el Congreso y fue elegido por éste capitán general. El 6 de noviembre el Congreso de Anáhuac hizo la solemne declaración de independencia, por la cual se consideró roto todo vínculo político con España. Agustín de Iturbide y Guerrero proclamaron un plan de independencia en Iguala (24 de febrero de 1821), por el que se proclamaba la independencia de México bajo la soberanía de Fernando VII. Evacuada la capital por las tropas españolas, hizo su entrada, el 27 de septiembre de 1821, el Ejército Trigarante. El gobierno de España rechazó el plan de Iguala y los tratados de Córdoba, con lo que desapareció la posibilidad de que un príncipe borbónico ocupara el trono mexicano; el Congreso, en sesión algo irregular, designó emperador de México a Iturbide, que fue coronado en su catedral el 20 de julio de 1822, pero abdicó el 19 de marzo de 1823, siendo desterrado por el Congreso Constituyente, en el segundo de los cuales (7 de noviembre de 1823) se manifestaron las tendencias hacia una forma de gobierno de cariz federalista. Jalisco y Zacatecas se sublevaron en favor de este sistema de gobierno, que fue adoptado para México en el Acta Constitutiva de 31 de enero de 1824.

Dentro de la *I República Federal,* el primer presidente fue Guadalupe Victoria (1824/29). La I República Federal la reconocieron Estados Unidos, Inglaterra y otros estados. A lo largo de este período, que se prolongó hasta 1853, se sucedieron las revoluciones y contrarrevoluciones; elementos conservadores lograron atraer a su causa al general Antonio López de Santa Ana, que se apoderó del gobierno por las armas, estableciendo el Plan de Cuernavaca, que daba al gobierno mexicano la forma de República Central, eligiéndose por presidente a Anastasio Bustamante por tres veces distintas: 1830, 1837 y 1839, período agitadísimo por las continuas sublevaciones de los federalistas y los texanos. El descontento que suscitaban tales sucesos, lo aprovechó Santa Ana para dar el golpe de estado de Tacubaya, que puso fin a la I República Central, estableciendo un poder ejecutivo transitorio.

La República Federal, restablecida en 1846, puso en vigor de nuevo la Constitución de 1824, rectificada por el Acta de Reforma de 1847. Entre tanto las relaciones con Estados Unidos se deterioraban por momentos; los norteamericanos comenzaron la ocupación de los territorios de la Alta California y Nuevo México, continuando con Chihuahua, mientras la flota yanqui bombardeaba Veracruz, Jalapa, Perote y Puebla, que fueron conquistadas sucesivamente. La ciudad de México se vio ocupada por las tropas invasoras el 14 de septiembre de 1847. En función del *Tratado de Guadalupe-Hidalgo* (2 de febrero de 1848), México cedía los territorios de la Alta California y Nuevo México a cambio de quince millones de pesos. La III República Federal duró de 1857 a 1863 y tuvo por primer presidente a Ignacio Comonfort, cuya falta de energía escindió el país en dos bandos: el de los conservadores, que acaudillaba Miguel Miramón (que permitió a los Estados Unidos realizar nuevas depredaciones territoriales), y el de los liberales, que tenían como líder a Benito Juárez...

* * *

Bien, ya nos hemos encontrado con Juárez incorporándose a la historia de su país, pero el oaxaqueño ya hacía algunos años que había empezado, primero, escribiendo la suya propia.

Veámosla:

«Nacer indio (21 de marzo de 1806) cuatro años antes de iniciarse la independencia de México y sufrir una guerra de liberación que destruyó el país era lo mismo que ser un condenado de la tierra; además, para mayor inri, Benito había venido al mundo en el seno de una familia paupérrima, en un abrupto rincón alejado de Oaxaca. Y precisamente, para comprender —entender— la figura de Juárez, tiene que hacerse inevitable referencia a su cuna y a los habitantes de la misma, porque si es una realidad incuestionable que las vivencias de la infancia, la cultura de origen y también la caracteriología racial de un núcleo matizan inequívocamente la configuración de la personalidad de los humanos, esto cobra mayor dimensión, es mucho más trascendente, cuando el entorno del que estamos hablando se llama Oaxaca y la cultura tradicional es la zapoteca.

En efecto, San Pablo de Gueletao es un pueblo situado a unos cincuenta kilómetros de la ciudad de Oaxaca, y muy cerca de Ixtlán, *pueblo resguardado en el seno de un pequeño valle donde prosperaban el naranjo, el limonero y el chirimoyo, favorecidos por un clima templado* (Ramos), ya que, efectivamente, en esa zona del Estado de Oaxaca, llena de profundas infructuosidades, lo mismo se alcanzaban con facilidad las nieves perpetuas de las altas cumbres que, al rasero de los valles profundos y bien defendidos de los vientos, se conseguían temperaturas de perenne primavera.

La región de Ixtlán, como las próximas de Villa Alta y el Rincón, son regiones que, pese a su proximidad al valle de Oaxaca, y debido sin duda a lo quebrado de su orografía, ha quedado muy lejos de los cambios producidos a partir de la colonización, lo que hizo que en muchos de aquéllos se conservaran hasta el siglo XVIII, y en ocasiones hasta la actualidad, tradiciones y costumbres típicamente prehispánicas. Todo ello manifiesta el profundo espíritu tradicionalista de las gentes que habitan, aún hoy en día, esa región, pero que, obviamente, era mucho más intenso a comienzos del siglo XIX, cuando Juárez vivió allí su infancia. *Las rebeliones y motines estuvieron a la orden del día en esta región durante la Colonia; una de las sublevaciones tuvo que ver con la religión: varios pueblos indios, entre ellos Teococuilco, declaraban que rechazaban el catolicismo* (Ramos), lo que viene a coincidir con la actitud de San Juan Chamulano —hace muchos años de ello—, donde los indios han expulsado al cura del lugar.

Nuestro protagonista legó a la posteridad un relato de sus primeros años, en unos *Apuntes para mis hijos,* que escribiera en 1857. Traigamos a colación una secuencia de esos apuntes:

> *El 21 de marzo de 1806 nací en el Pueblo de San Pablo de Guelatao de la jurisdicción de Santo Tomás Ixtlán en el Estado de Oaxaca. Tuve la desgracia de no haber conocido a mis padres,* Marcelino Juárez *y Brígida* García, *indios de la raza primitiva del país, porque apenas tenía yo tres años cuando murieron, habiendo quedado con mis hermanas María Josefa y Rosa al cuidado de nuestros abuelos paternos,* Pedro Juárez *y* Justa López, *indios también de la nación Zapoteca. Mi hermana María Longinos, niña recién nacida, pues mi madre murió al darla a luz, quedó a cargo de mi tía materna* Cecilia García. *A los pocos años murieron mis abuelos, mi hermana María Josefa casó con* Tiburcio López, *del Pueblo de Santa María Tahuiche; mi hermana Rosa casó con* José Jiménez, *del Pueblo de Ixtlán, y yo quedé bajo la tutela de mi tío* Bernardino Juárez, *porque de mis demás tíos,* Bonifacio Juárez *había ya muerto,* Mariano Juárez *vivía por separado con su familia y* Pablo Juárez *era aún menor de edad.*

Benito Juárez sería bautizado al día siguiente de su nacimiento en la parroquia de Santo Tomás Ixtlán, y en la partida bautismal aparece como madrina una mujer llamada Apolonia García, india, casada con Francisco García. Tras la muerte de padres y abuelos, los hermanos Juárez se encontraron en la más absoluta miseria; la etapa que se iniciaba a partir de aquí para el pequeño Benito iba a ser, si cabe, más dura que cualquiera de las anteriores. En efecto, *el tío Bernardino era hombre de muy escasos recursos, pues todos sus bienes consistían en un pequeño rebaño de ovejas y un solar junto a la laguna encantada. Por otro lado, debía ser hombre de poca paciencia (...).* Felipe García, *primo hermano de* Benito Juárez, *le llama hombre de carácter duro* (Ramos).

Poco más es lo que se sabe de Bernardino, a cuyo cargo iba a estar Benito, en una edad delicada, en la que no sólo se necesitan los consejos y las admoniciones de un padre, sino también su cariño y el de la madre. De todo esto careció Juárez en su infancia y ello puede explicar, parcialmente al menos, el carácter reservado y silencioso de nuestro personaje. No se sabe si Bernardino estaba casado y tenía hijos, pero todos los documentos e informaciones que se tienen apuntan al hecho concreto de que vivía solo, se *embriagaba los domingos y debía mantener, de cuando en cuando, relaciones sexuales con alguna mujer de moral más o menos dudosa, quien, antes de partir, limpiaba la cabaña situada junto al lago encantado* (Smart). El propio Benito dice de esos años transcurridos en compañía de su tío Bernardino:

> *Como mis padres no me dejaron ningún patrimonio y mi tío vivía de su trabajo personal, luego que tuve uso de razón me dediqué, hasta donde mi tierna edad me lo permitía, a las labores del campo. En algunos ratos desocupados mi tío me enseñaba a leer, manifestándome lo útil y conveniente que era saber el idioma castellano, y como entonces era sumamente difícil para la gente pobre, y muy en especial para la clase indígena, adoptar otra carrera científica que no fuese la eclesiástica, me indicaba sus deseos de que estudiase para ordenarme.*

El párrafo transcrito evidencia con claridad meridiana el pensamiento pragmático y agudo del campesino indígena que era su tío, quien, consciente de la realidad social que se vivía y comprendiendo las cualidades personales de su sobrino, le instaba a que perdiese su identidad india como el medio más rápido y seguro para labrarse un próspero porvenir personal en un ambiente en que lo campesino y lo autóctono, por añadidura, eran lastres de los que había que desprenderse, si se quería ser *algo* en la vida.

Desde muy temprana edad Benito Juárez se dio cuenta de la importancia de adquirir una educación castellana que le liberara de la pesada y terrible carga de sus orígenes campesinos y en un medio absolutamente indígena: *ni siquiera se hablaba la lengua española,* dice Juárez, y no había escuela pública. Tan sólo existía una escuela privada en el pequeño poblado de Guelatao, que regentaba un tal Domingo García, vecino del mismo pueblo. Benito asistía a esa escuela diariamente, antes de salir al campo con las ovejas, lo que manifiesta la voluntad del joven por aprender. *Envidiaba a aquellos de sus paisanos que sabían leer y escribir la lengua castellana. Esa impaciencia y descomedida preocupación por ilustrarse, normalmente impropia en un niño, hacía ya de Juárez un adulto en el orden moral; y en ello ha de verse, sin duda, la primera manifestación del sentido de responsabilidad de Benito Juárez, respecto de sí mismo y de la sociedad. Tal inquietud se irá tornando más consciente, exacerbándose con el paso del tiempo* (Ramos).

Sin embargo, el sistema más práctico y utilizado con frecuencia por los indios para aprender el castellano, según manifiesta el mismo Juárez, era trasladarse a la ciudad de Oaxaca:

> *... los padres de familia que podían costear la educación de sus hijos los llevaban a la ciudad de Oaxaca con este objeto, y los que carecían de la posibilidad de pagar la pensión correspondiente los mandaban a servir en casas particulares a condición de que los enseñasen a leer y escribir. Éste era el único medio de educación que se adoptaba, no sólo en mi pueblo, sino en todo el distrito de Ixtlán...*

El fenómeno que describe este texto no es excepcional: se trata de un proceso de *DECULTURACIÓN* típico de regiones en que la lengua y cultura nativas son sistemáticamente perseguidas y desprestigiadas, considerándose propias de gentes *incultas* o de escaso nivel cultural. Los adultos y los propios niños, sujetos de esta acción persecutoria, optan por el abandono de cualquier rasgo que los identifique con el objeto del asedio. Ese mismo fenómeno se ha dado en ciertas etapas históricas, por ejemplo, en varias regiones españolas —países catalanes, Vascongadas y Galicia—, cuando el grado de *desprestigio* hacia las lenguas autóctonas de esos lugares, no sólo se consideraba un hecho pluricultural, sino atentatorio a las unidades patrias mal entendidas y peor interpretadas.

La afición por las letras que demostraba el menor Benito, no tenía su compensación con el progreso en el estudio de la lengua y la cultura de los conquistadores y sus descendientes blancos: era prácticamente imposible avanzar en los estudios cuando no podía abandonar el trabajo. Su voluntad era enorme: ... *cuando mi tío me llamaba para tomarme la lección, yo mismo le llevaba la disciplina para que me castigara si no la sabía;* pero no adelantaba. Pese a su corta edad, entendió que todas sus posibilidades se encontraban en la ciudad de Oaxaca: este pensamiento se transformó en su meta prioritaria. Esa obsesión, contradictoria con sus sentimientos de lealtad y fidelidad a su tío Bernardino, acabaría venciendo:

> *Era cruel la lucha que existía* —dice Juárez— *entre esos sentimientos y mi deseo de ir a otra sociedad, nueva y desconocida para mí, para procurarme mi educación. Sin embargo, el deseo fue superior al sentimiento y el día 17 de diciembre de 1818, y a los doce años de edad, me fugué de mi casa marchando a pie a Oaxaca, adonde llegué la noche del mismo día.*

Según cuenta el propio Juárez, su heroica caminata de cincuenta kilómetros entre su pueblo y Oaxaca la hizo en un solo día, de manera que al anochecer del 17 de diciembre de 1818 se presentaba por sorpresa en casa de la familia Maza, donde su hermana María Josefa servía como cocinera. La llegada del muchacho, en el más deplorable de los estados que imaginarse pudieran, sería corregido de inmediato por su hermana, quien en esa época y hasta muchos años después debió ejercer el papel de segunda madre de Benito. Tal era al menos la opinión de José María Maza, hijo del matrimonio donde prestaba sus servicios María Josefa, para quien ésta era efectivamente una nueva madre que *veló cuidadosamente por su vida y educación luego que llegó a la ciudad.* Por aquel tiempo el aspecto de Benito debía ser muy deficiente, ya que Margarita Maza, hermana de José María, decía de él: *es muy feo, pero muy bueno.* Según escribe

Juárez, en los ya citados *Apuntes,* sobre sus tiempos de recién llegado a la ciudad de Oaxaca:

> *Me alojé en la casa de don Antonio Maza en que mi hermana María Josefa servía de cocinera. En los primeros días me dediqué a trabajar en el cuidado de la granja, ganando dos reales diarios para mi subsistencia, mientras encontraba una casa en la que servir.*

No fue mucho tiempo el que residió el niño Juárez en casa de los señores Maza, ya que el 7 de enero de 1819 se instalaba en el domicilio del encuadernador don Antonio Salanueva, fraile lego carmelita del convento del Carmen, que, no habiendo hecho voto de castidad ni de clausura, vestía sin embargo el hábito de los carmelitas y, aun siendo muy religioso y altamente caritativo, vivía de su trabajo como encuadernador, manteniendo en su taller como aprendices a varios jovenzuelos a los que pagaba mediante el alojamiento y enseñándoles a leer y escribir. Benito Juárez encontró en la casa de Salanueva lo que pretendía: sustento, alojamiento y enseñanza; así recordaría más adelante a su protector:

> *... vivía entonces en la ciudad un hombre piadoso y muy honrado que ejercía el oficio de encuadernador y empastador de libros (...) y, aunque muy dedicado a la devoción y prácticas religiosas, era bastante despreocupado y amigo de la educación de la juventud.*

Al cabo de algún tiempo, cuando Salanueva juzgó que Benito ya estaba en condiciones, le envió a una escuela muy elemental donde tan sólo enseñaban a leer y escribir y donde había que aprenderse de memoria el *Catecismo* del padre Ripalda; como los progresos eran prácticamente nulos en este centro, Benito pidió a su mecenas que lo llevara a otro y éste le matriculó en la *Escuela Real* regentada por José Domingo González, quien, además de tratar injustamente a Juárez, discriminaba a sus alumnos, dando una enseñanza distinta a cada uno según que fueran miembros de familias económicamente fuertes o míseras. Pese a sus pocos años, el protagonista de esta historia entendió que sus progresos eran nulos y, en vista de que los estudios en el *Seminario Conciliar* parecían mejores y debido a la opinión generalizada de que los clérigos e incluso los seminaristas eran personas de gran sabiduría, decidió ingresar en el *Seminario* pese a su carencia vocacional.

> *... era una opinión generalmente recibida entonces no sólo en el vulgo, sino en las clases altas de la sociedad, de que los clérigos y aun los que sólo eran estudiantes sin ser eclesiásticos sabían mucho y de hecho yo observaba* —explica Juárez— *que eran respetados y considerados por el saber que se les atribuía. Esta circunstancia, más que el propósito de ser clérigo, para lo que sentía una instintiva repugnancia, me decidió a suplicarle a mi padrino* (así llamaré en adelante a don Antonio Salanueva, porque me llevó a confirmar a los pocos días de haberme recibido en su casa) *que me permitiera ir a estudiar al* Seminario, *ofreciéndole que haría todo esfuerzo para hacer compatible el cumplimiento de mis obligaciones en su servicio con mi dedicación al estudio al que me iba a consagrar.*

Iba a ingresar Benito Juárez en el *Seminario* como alumno externo el 18 de octubre de 1821, el mismo año en que se declaraba la independencia de México. Aquel lugar, el *Seminario Pontificium Sanctae Crucis Oaxacensis* o *Colegio Seminario de la Santa Cruz*, había sido fundado en 1677, según breve pontificio de Inocencio XI (20 de febrero de 1677) y Cédula Real de 12 de abril de 1673, siendo obispo de Oaxaca fray Tomás de Monterroso.

En agosto de 1823 Juárez rindió los exámenes reglamentarios en latín, que fueron calificados con el término *excelente*, pero tuvo que aguardar un año, dado que era alumno externo —y en 1823 no hubo en el *Seminario* curso de Artes—, de manera que hasta 1824 no pudo matricularse en el curso de medianos como *mateísta*, es decir, como alumno externo que asistía al *Seminario* con sotana y manteo. Durante aquel año de 1823 Benito siguió laborando como encuadernador, leyendo cuanto libro caía en sus manos; la nota final de curso de medianos decía: *es de sobresaliente aprovechamiento y particular aplicación*. Fue entonces cuando se le planteó un grave problema al joven Juárez en relación con su protector y padrino Antonio Salanueva, quien deseaba fervientemente que pasara de inmediato a estudiar teología para recibir en seguida las órdenes sagradas, mientras el propio Benito veía con inquietud y desasosiego esa orientación de su vida, pese a su manifiesto catolicismo. El conflicto era tanto más lamentable, cuanto que los deseos de Salanueva reflejaban las mejores intenciones respecto a su protegido, ya que deseaba proporcionarle a su pupilo *la carrera más respetable y no la menos lucrativa, aparte de asegurarle la salvación eterna* (Ramos). Juárez mismo lo contaba años después con estas palabras:

> *... antes tuve que vencer una dificultad grave que se me presentó y fue la siguiente: luego que concluí mi estudio de gramática latina mi padrino manifestó grande interés porque pasase yo a estudiar teología moral para que al año siguiente comenzara a recibir las órdenes sagradas. Esta indicación me fue muy penosa, tanto por la aversión que tenía a la carrera eclesiástica, como por la mala idea en que se tenía a los sacerdotes que sólo estudiaban gramática latina y teología moral y a quienes por este motivo se ridiculizaba llamándoles* Padres de misa y olla o Lárragos. *Se les daba el primer apodo porque por su ignorancia sólo decían misa para ganar la subsistencia y no les era permitido ejercer otras funciones que requerían instrucción y capacidad; y se les llamaba Lárragos porque sólo estudiaban teología moral por el padre Lárraga. Del modo que pude manifesté a mi padrino con franqueza este inconveniente, agregándole que, no teniendo yo todavía la edad suficiente para recibir el presbiterio, nada perdía con estudiar el curso de artes. Tuve la fortuna de que le convencieran mis razones y me dejó seguir mi carrera como yo lo deseaba.»*

(Llegados a este punto y como una vez concluido este proceso introductorio examinaremos con detenimiento el devenir, especialmente político, de nuestro protagonista, a partir de ahora vamos a exponer de forma somera una síntesis biográfica de Benito Juárez.)

«Cuando el oaxaqueño estaba a un paso de ser ordenado sacerdote, decidió repentinamente inscribirse en el Instituto de Ciencias y Artes del Estado para estudiar derecho, carrera que concluyó con brillantez en 1834, época en la que entró a formar parte del grupo liberal que encabezaba Miguel Méndez, introduciéndose de esta guisa en el mundo de la política. En 1831 fue elegido regidor del Ayuntamiento y en 1833 diputado en el Congreso local, puestos desde los que promovió algunas iniciativas importantes. En el mismo año de licenciarse en derecho se le nombró magistrado del Tribunal Supremo de Justicia y más tarde juez civil y de Hacienda; en 1844 ocupó la secretaría de gobierno con Antonio León y dos años después, cuando perdieron los conservadores el poder, formó con Luis Fernández del Campo y José Simeón Artega una terna judicial que gobernó el estado de Oaxaca. Su interés se centró entonces en la defensa de los derechos e intereses de las clases más humildes y de los indios.

En 1853, el regreso de los conservadores a las más altas magistraturas, con la presencia del general Antonio López de Santa Ana, obligó a Juárez a exiliarse en los Estados Unidos, viviendo durante dos años en Nueva Orleáns, contactando con otros liberales mexicanos, como Melchor Ocampo, José María Mata y Ponciano Arriaga.

Cuando los liberales recuperaron el gobierno nacional, Benito regresó a México para unirse al gobierno del general Juan Álvarez (cuyo gabinete quedó constituido de la siguiente manera: Melchor Ocampo, ministro de Relaciones Interiores y Exteriores; Ignacio Comonfort, ministro de la Guerra; Guillermo Prieto, ministro de Hacienda; Benito Juárez, ministro de Justicia, Negocios Eclesiásticos e Instrucción Pública; J. Miguel Arrioja, ministro de Gobernación, y Ponciano Arriaga, ministro de Fomento), ocupando la cartera de Justicia, Negocios Eclesiásticos e Instrucción Pública, como acaba de decirse. La *Ley Juárez* puso fin a las inmunidades de las fuerzas armadas y del clero en cuestiones civiles, mientras que la *Ley Lerdo,* impulsada por el ministro de Finanzas, obligó a la Iglesia a vender sus propiedades. En febrero de 1857, la reforma culminó en la promulgación de una constitución liberal, hecho este que provocó una fortísima reacción por parte de las fuerzas conservadoras y la caída de Juan Álvarez, quien fue sucedido por Ignacio Comonfort. Al ocupar el cargo de presidente de la Suprema Corte de Justicia, Juárez se convirtió en sucesor constitucional a la presidencia.

A partir de 1858 y tras ser defenestrado Comonfort, Juárez ocupó la presidencia de la nación, radicalizando el movimiento reformista con el anuncio de la suspensión del pago de la deuda externa por dos años. Para salvaguardar sus intereses financieros, el Reino Unido, Francia y España firmaron el 31 de octubre de 1861 la

Convención de Londres, por la que se declaraba el inmediato intervencionismo. Las tropas aliadas desembarcaron en Veracruz en enero de 1862 y, tras arduas negociaciones, Juárez consiguió que España y el Reino Unido renunciaran y emprendieran la retirada, pero Napoleón III, empecinado en conquistar el país, ordenó el avance de las tropas francesas hacia el interior, tomando Puebla y posteriormente la ciudad de México. El archiduque Maximiliano de Habsburgo, hermano del emperador austríaco Francisco José I, asumió el poder, instaurando el Segundo Imperio Mexicano, mientras que Benito Juárez se ponía al mando de la resistencia que, tras algunas derrotas iniciales, empezó acto seguido a recuperar terreno.

A comienzos de 1867, Maximiliano de Habsburgo fue apresado en Querétaro y se le fusiló junto a varios conservadores que le habían secundado. En julio, Juárez entró triunfante en México para iniciar la reconstrucción nacional, convocando elecciones por las que fue elegido presidente en 1867 y 1871. No obstante, desde el triunfo de la República se habían producido escisiones en el seno del grupo liberal: juaristas, lerdistas (partidarios de Sebastián Lerdo de Tejada) y porfiristas (seguidores de Porfirio Díaz); estos últimos se rebelaron el 1 de octubre de 1871 ante la reelección de Juárez, quien pasó el definitivo período de su vida intentando restaurar la paz. Su traspaso se produjo en la ciudad de México, tras sufrir una crisis cardíaca (su corazón estaba muy delicado desde hacía tiempo), el 18 de julio de 1872.»

* * *

... ambos contendientes, con el pretexto de defender sus ideas, se entregaron a la violencia más radical, lo que motivó, entre otras razones (como era exigir el pago de las cantidades que se les adeudaban), que España, Francia e Inglaterra decidieran, tras un convenio que se firmó en Londres, iniciar la práctica de una política bélico-intervencionista. Británicos y españoles acabaron aceptando y accediendo a los razonamientos de Benito Juárez, pero no así los franceses, que prosiguieron su trayecto militar, enfrentándose a las tropas del oaxaqueño, destruyendo los contingentes de Oriente y tomando la ciudad de Puebla. El archiduque Maximiliano de Austria, propuesto para la corona de México, aceptó, previa consulta a las cancillerías europeas, que no se opusieron a su designación, y, desembarcando el 18 de mayo de 1864 en México, inició su cometido con la mejor voluntad. Desocupando el país por las tropas francesas en 1866, Maximiliano intentó sostener su posición por medio de la alianza con los elementos más reaccionarios y negociaciones con los juaristas. Sin posibilidades de recibir auxilio exterior, se entregó en Querétaro, siendo condenado a muerte y ejecutado, el 19 de junio de 1867, junto a Miramón y Mejía.

Restablecida la autoridad del gobierno republicano, Benito Juárez reorganizó el ejército, sometiendo las constantes sublevaciones, al tiempo que preparaba su reelección para la presidencia, que ocupó hasta su muerte (1872); reformó la Constitución de 1857, y en 1871 la reelección del oaxaqueño como presidente constitucional no fue reconocida por un grupo que encabezaba Porfirio Díaz, que proclamó al llamado *Plan de la Noria,* pero fue derrotado. A la muerte de Juárez le sustituyó el presidente de la Suprema Corte de Justicia, que intentó su reelección en 1876, pero se tropezó con los opositores Porfirio Díaz y José María Iglesias, que se sublevaron lanzando el *Plan de Tuxtepec.* La victoria de Díaz en Tecoac la permitió imponerse e iniciar la etapa conocida como *porfirismo,* que abarcó el período comprendido entre 1876 y 1911. Díaz impuso un gobierno de carácter dictatorial, que apenas varió en el espacio de 1880 a 1884 en que fue presidente Manuel González, amigo y colaborador de Porfirio, el cual reformó la Constitución de forma y manera que hiciera posible sus sucesivas reelecciones (como otros muchos políticos, tenía la pretensión de perpetuarse en el poder), lo que le permitió continuar indefinidamente al frente del gobierno. El prestigio de Porfirio Díaz traspasó fronteras, pero el pueblo mexicano empezaba a sentirse hastiado de tan continuada e inacabable tutela. Y así surgió la nueva oposición liderada por Francisco Ignacio Madero, con lo que se inició el movimiento revolucionario de 20 de noviembre en el que, de entre sus dirigentes, destacó la figura de Emiliano Zapata. El 6 de noviembre fue elegido presidente Madero, que influyó el resultado a su favor con la actividad terrorista de sus partidarios; pero, una vez en el poder, empezó a mostrarse conservador, provocando inquietud y descontento en amplios sectores revolucionarios, que se lanzaron a la acción bajo la batuta de Zapata, quien elaboró el *Plan de Ayala* contra Francisco Ignacio Madero, que murió asesinado después de que el general Huerta le obligó a renunciar a su cargo (19 de febrero de 1913). El general firmó con Félix Díaz y otros rebeldes el *Pacto de la Ciudadela* y fue reconocido presidente por el Congreso y la Suprema Corte de Justicia, así como por todos los países que mantenían relaciones con México, a excepción hecha de los Estados Unidos.

Destacaron como jefes más animosos de las partidas rebeldes Obregón, Pancho Villa (cuyo verdadero nombre era Doroteo Arango) y Carranza. Las divisiones del norte al mando de Villa obtenían las victorias de Torreón, mientras Obregón conseguía los decisivos éxitos de Orendain y el Castillo, ocupando Guadalajara. Huerta renunció a la presidencia en favor del vicepresidente Francisco S. Carvajal y marchó al extranjero. Carranza, que debía ocuparla en calidad de primer jefe del ejército constitucionalista, no fue reconocido por Villa, reanudándose la guerra civil entre los principales jefes de la Revolución, retornando a la lucha Villa, Zapata, Maytorena y otros. El general Obregón consiguió derrotar a Pancho Villa en Celaya, Trinidad y Agua Prieta, iniciándose así el ocaso del nacido Doroteo Arango que, una vez perdida Ciudad Juárez, vio cómo la mayor parte de sus huestes se rendían a Carranza. Reconocido éste como jefe del gobierno mexicano por los estados reunidos en la Conferencia Panamericana (1915), tuvo su capital en Veracruz hasta que la trasladó a Querétaro un año después, donde reunió un Congreso Constituyente. El período 1917-1920 en que fue presidente Carranza, se ha llamado de la *posrevolución.* Al iniciarse la campaña para elegir de nuevo candidato a la presidencia, se advirtió la oposición de varios generales, entre ellos Obregón y González, quien aprovechó la actitud hostil del gobernador de Sonora para iniciar allí la sublevación con el manifiesto de Agua Prieta, que acusaba al presidente de actos contrarios a la Constitución, acusaciones que reiteró Obregón en su manifiesto de Chilpancingo.

Finalmente, fue elegido presidente el general Obregón, al que apoyaba la Confederación Obrera Mexicana de orientación marxista. El nuevo presidente procuró preparar los próximos comicios en favor de su secretario de Gobernación, Plutarco Elías Calles, que en las elecciones de 1924 fue elevado a la presidencia del país, continuando la orientación política de su antecesor, al tiempo que extremaba las medidas antirreligiosas que llevaron al estado mexicano a una grave crisis con la Iglesia, provocando iracundas reacciones por parte de los sectores católicos. Víctima Obregón de un atentado cuando se disponía a ocupar de nuevo el sillón presidencial, el Congreso designó provisionalmente a Emilio Portes Gil, que trató de solucionar el conflicto surgido con la Iglesia. Pascual Ortiz Rubio empezó su mandato el 5 de febrero de 1930, iniciándose el régimen denominado *maximato,* que duró hasta 1943; en este período el verdadero dueño e inspirador de la política mexicana fue Elías Calles, que no tuvo en cuenta la opinión del presidente y llevó al país, con sus medidas radicales, al borde de la ruina.

MAXIMILIANO DE HABSBURGO

Archiduque austriaco (1832-1867), nombrado emperador de México en 1864.

El archiduque Maximiliano de Habsburgo era un hombre alto, de físico agraciado, cuya hermosa barba rubia le caracterizaba notablemente. En plena juventud contrajo matrimonio con la hija de Leopoldo I, el rey de Bélgica, llamada Carlota. Un amor apasionado unía a los dos esposos y juntos acometieron las tareas políticas que reclamaban al archiduque.

Fue gobernador del reino Lombardovéneto, entre 1856 y 1859, y su prestigio de persona a la vez ecuánime y enérgica determinó que el emperador Napoleón III le ofreciera la corona de México, cuando sus tropas ocuparon aquel país. En un trágico error, Maximiliano aceptó y firmó, en 1864, el tratado de Miramar, por el cual Napoleón III se comprometía a apoyarle con sus tropas. Los escrúpulos que el futuro monarca mexicano planteó respecto a su aceptación por parte de la población mexicana se solucionaron con un plebiscito fraudulento que dio una tan amplia como inexistente mayoría en favor de los planes franceses.

Maximiliano y Carlota llegaron a México en 1864 y el 12 de junio se instalaban en la capital, en medio de un amplio despliegue cortesano. Pero no escapaba a la comprensión del emperador que su figura resultaba impopular para gran parte de la población del país; trató entonces de mejorar su imagen llevando una política moderada, adoptó un niño mexicano, buscó permanentemente el diálogo con Juárez, se negó a modificar los decretos de éste sobre tenencia de la tierra (con lo que se ganó la desconfianza de la vieja oligarquía rural del país, que hasta ese momento le había apoyado fervientemente) y terminó, como consecuencia de esta política, totalmente aislado: sin ganar credibilidad ante el pueblo, que seguía mirándole como un intruso usurpador, y con la hostilidad de los conservadores, a los que había defraudado.

De tal modo, su precario y antihistórico régimen tenía los días contados y cuando, en 1867, Napoleón III, acosado por los reveses en Europa, decidió incumplir el tratado de Miramar y retirar las tropas que tenía en México, Maximiliano comprendió que estaba perdido. Se negó, sin embargo, a abdicar, considerando aquello como un problema de honor, y se aprestó a una desesperada resistencia, mientras Carlota viajaba a Europa para interceder ante la corte francesa para lograr el cumplimiento de lo acordado.

Las sucesivas victorias de las fuerzas de Juárez aislaron a Maximiliano en Querétaro, donde, previa la traición de algunos de sus allegados, fue hecho prisionero. A pesar de sus reiterados intentos de lograr una entrevista con Juárez, no consiguió este objetivo y fue condenado a muerte, junto con los generales Miramón y Mejía, que le fueron fieles. La sentencia se cumplió el 19 de junio de 1867, y el malogrado emperador murió con serenidad y altivez, repartiendo monedas entre quienes iban a fusilarlo y declarando: «Voy a morir por una causa justa, la de la independencia y libertad de México. ¡Que viva México!»

Su esposa Carlota, cuyos esfuerzos resultaron infructuosos, enloqueció al conocer el fin del emperador.

CARTA DE BENITO PABLO JUÁREZ GARCÍA AL ARCHIDUQUE MAXIMILIANO DE HABSBURGO

Monterrey, 28 de mayo de 1864

Muy respetable señor:

Me dirige usted particularmente su carta del 22 del pasado, fechada a bordo de la fragata *Novara*, y mi calidad de hombre cortés y público me impone la obligación de contestarle, aunque sea muy deprisa y con una redacción poco meditada, porque ya debe usted suponer que el delicado e importante cargo de presidente de la República absorbe todo mi tiempo, sin dejarme descansar de noche.

Se trata de poner en peligro nuestra nacionalidad y yo, que por mis principios y mis juramentos soy el llamado a sostener la integridad nacional, la soberanía e independencia, tengo que trabajar activamente multiplicando mis esfuerzos, para corresponder al depósito sagrado que la nación en el ejercicio de sus facultades me ha conferido, me propongo —aunque ligeramente— contestar los puntos más importantes de su citada carta.

Me dice usted que, abandonando la sucesión de un trono en Europa, abandonando sus amigos, su familia, sus bienes y, lo que es más caro, al hombre, su patria, ha venido usted y su esposa, doña Carlota, a tierras lejanas y desconocidas, sólo por corresponder al *llamamiento espontáneo* que le hace un pueblo que cifra en usted la felicidad de su porvenir.

Admiro, por una parte, su generosidad y, por la otra, ha sido verdaderamente grande la sorpresa al encontrar en su carta la frase *llamamiento espontáneo,* porque yo había visto antes que cuando los traidores de mi patria se presentaron en comisión por sí mismos a Miramar, ofreciendo a usted la corona de México, con varias cartas de nueve a diez poblaciones de la nación, usted vio en todo eso nada más que una farsa ridícula, indigna de ser considerada seriamente por un hombre honrado y decente.

Contestó usted a todo eso, exigiendo una voluntad libremente manifestada por la nación y como resultado del sufragio universal. Esto era exigir una imposibilidad, pero era una exigencia propia de un hombre honrado. ¿Cómo no he de admirarme ahora, viéndole venir al territorio mexicano sin que se haya adelantado nada al respecto de las condiciones impuestas? ¿Cómo no he de admirarme, viéndole ahora aceptar las ofertas de los perjuros y aceptar su lenguaje, condecorar y poner a su servicio a hombres como Márquez y Herrán, y rodearse de toda esa parte dañada de la sociedad mexicana?

¡Yo he sufrido francamente una decepción; yo creía a usted una de esas organizaciones puras que la ambición no alcanza a corromper!

Me invita a que vaya a México, ciudad a la que usted se dirige, a fin de que celebremos una conferencia en la que tomarán participación otros jefes mexicanos que están en armas, prometiéndonos a todos las fuerzas necesarias para que nos escolten en el tránsito y empeñando —como seguridad y garantía pública— su palabra y su honor.

Imposible me es, señor, atender ese llamamiento; mis ocupaciones nacionales no me lo permiten. Pero si en el ejercicio de mis funciones públicas yo debiera aceptar tal invitación, no sería suficiente la fe pública, la palabra y el honor de un agente de Napoleón, de un hombre que se apoya en esos afrancesados de esa nación mexicana y del hombre que representa hoy la causa de una de las partes que firmaron el Tratado de la Soledad.

Me dice usted que de la conferencia que tengamos —en el caso de que yo acepte— no duda que resultará la paz y, con ello, la felicidad del pueblo mexicano y que el imperio contará en adelante, colocándome en un puesto distinguido, con el servicio de mis luces y el apoyo de mi patriotismo.

Es cierto, señor, que la historia contemporánea registra los nombres de grandes traidores que han violado sus juramentos y sus promesas; que han faltado a sus antecedentes, a su partido y a todo lo que hay de sagrado para el hombre honrado. Que en esas traiciones, el traidor ha sido guiado por una torpe ambición de mando y un vil deseo de satisfacer sus propias pasiones y aun sus vicios. Pero el encargado actualmente de la Presidencia de la República, salido de las masas oscuras del pueblo, sucumbirá —si en los destinos de la providencia está destinado que sucumba— cumpliendo con su juramento, correspondiendo a las esperanzas de la nación que preside y satisfaciendo las inspiraciones de su propia conciencia.

Tengo necesidad de concluir por falta de tiempo y agregaré sólo una observación:

... Es dado al hombre, señor, atacar los derechos plenos, apoderarse de sus bienes, atentar contra la vida de los que defienden su nacionalidad, hacer de sus virtudes un crimen y de los vicios propios una virtud, pero hay una cosa que está fuera del alcance de la perversidad y es el fallo tremendo de la historia: Ella nos juzgará.

Soy de usted seguro servidor,

Benito Pablo Juárez García
(Firmado)

Prólogo

— Síntesis de la política juarista —

La política no es una ciencia exacta.
Bismarck

La política es la historia que se está haciendo,
o que se esta deshaciendo.
Henri Bordeaux

La juventud, ordinariamente, está por libertad
y reformas: la madurez, por la transacción razonable;
la senetud, por la estabilidad y el reposo.
La progresión normal es de izquierda a derecha y,
con frecuencia,
de extrema izquierda a extrema derecha.
Sir Winston Leonard Spencer Churchill

La política es el arte de servirse de los hombres,
haciéndoles creer que se les sirve a ellos.
Dumur

Hay momentos en la vida de todo político
en que lo mejor que puede hacerse es no despegar los labios.
Abraham Lincoln

Lo que es malo en moral es también malo en política.
Jean Jacobo Rousseau

SE dice de la política, en cualquier diccionario que deseemos consultar, que es el *arte y actividad de gobernar un país, así como el conjunto de acciones relacionadas con la lucha por el acceso al gobierno.* De los políticos, hombres *demasiado públicos,* se dicen tantas cosas y tan pocas de buenas, que es mejor obviarlas.

Benito Juárez también estuvo incurso en las definiciones que preceden, tanto en lo personal como en lo general.

Fue un político controvertido, venerado y odiado a la vez, por la sencilla razón de que todos despiertan idéntico tipo de pasiones antagónicas. Forma parte de la grandeza y miseria del género humano.

Lo que parece fuera de toda duda o controversia es el hecho fehaciente y demostrable de que Benito Juárez fue —es— el personaje de la historia de México que engendró más sentimientos contradictorios y sobre el que se han emborronado más cuartillas, no sólo en castellano, sino en diversos idiomas. Juárez encarnó en sí mismo demasiados instintos como para que la historia cometiera la frivolidad de ignorarlo pese a ser en sus orígenes un indio analfabeto, un pastor de ovejas que estuvo a punto de ser clérigo, pero que acabó siendo presidente de su país, convirtiéndose en el mexicano en pura esencia por definición, por antonomasia, capaz de ganarse el reconocimiento y el respeto de *tirios y troyanos,* de ser el símbolo latinoamericano de la lucha contra el imperialismo, defensor por excelencia de la soberanía nacional de su pueblo y paradigma *del estar en paz con la propia conciencia,* cosa nada fácil de conseguir cuando la condición de uno es, precisamente, *humana.*

Su vida y su política son citadas con reiterada frecuencia como efigie que podría resumirse en un viejo adagio español que dice: *hace más el que quiere que el que puede* (o *querer es poder*), equivalente todo ello al deseo casi visceral de superación que latía en el menudo cuerpo del oaxaqueño. Juárez es el ejemplo a seguir, el espejo en el que se miran sus compatriotas, que no escapan al recuerdo de la miserable cuna de Benito y se maravillan de que no fuera obstáculo que le impidiera encaramarse a la más alta cima de la nación y dirigir con mano firme, enérgica, los destinos del país en uno de los momentos más conflictivos y difíciles de la historia mexicana en el siglo XIX. Aquel indio feo y enjuto que a los doce años apenas chapurreaba el español, dio a México su segunda independencia, poniendo de manifiesto una serie de acciones y orientaciones que en todo instante representaban la reivindicación de la raza indígena (de sus derechos y libertades), de la raza conquistada y sometida.

Pero quizá el logro más importante y trascendente de la maniobra política juarista estriba en el convencimiento en las propias fuerzas, en las ideas de gobierno, en la certeza de estar en poder de la razón, que le llevan a defender con estoicidad espartana la República de México, cuando amplios y cualificados sectores políticos del país manifestaban la seguridad de que sólo un príncipe tradicional, de solera europea —Maximiliano de Habsburgo—, podía estabilizar la nación y equilibrar su línea política. En el transcurso de la presidencia de Juárez se formó el Estado Nacional Mexicano, organizándose así mismo la sociedad civil, azotada durante tantos y tantos años por numerosos enfrentamientos bélicos intestinos y asediada por las grandes potencias imperialistas de la época.

A Juárez le correspondió asomarse al escenario político en los inicios de la oposición al caudillo militar Antonio López de Santa Ana, siendo expulsado de México a causa de su ideario liberal. Al surgir el oaxaqueño en la vida política, se produjo la consolidación del Estado Mexicano, institucionalizándose el gobierno. Su figura encarna a todas las generaciones fraguadas en la lucha, generaciones a las que tocó padecer las *genialidades* de Santa Ana en 1842, cuando mudó un Congreso federalista por otro centralista, y que en 1847 vivieron la sacudida de los invasores estadounidenses. Sería injusto no mencionar que la obra de Juárez contó con el apoyo inquebrantable de hombres de la talla de Melchor Ocampo, Ponciano Arriaga, José María Mata, Ignacio Ramírez, Miguel y Sebastián Lerdo de Tejada y otros ilustres mexicanos que contribuyeron a forjar el nuevo modelo de estado. Generaciones que fueron capaces de dar al país la cohesión necesaria y que pusieron en práctica un auténtico programa de gobierno. Fueron, sin duda, las generaciones más brillantes que alcanzaron los puestos de mando en el trayecto histórico de México en el siglo XIX.

Benito Juárez inició la consolidación del poder presidencial que todavía sigue en vigor actualmente.

Vida política de Juárez

Capítulo Primero

— Gobernador de Oaxaca —

A principios de 1834 Juárez obtuvo su licenciatura en derecho y, apenas estrenado el título, se le nombró magistrado interino de la Corte de Justicia del Estado de Oaxaca, puesto en el que, como fuera una constante en su vida, sirvió con honradez y lealtad. No obstante, el cargo resultó efímero, ya que al caer el gobierno de Gómez Farias, cayó también el gobierno del estado de Oaxaca, volviendo a él los reaccionarios, quienes castigaron a Benito Juárez por su adhesión a los liberales, confinándole en la ciudad de Tehuacán. Aunque esta situación de pseudoexilio tuvo una duración breve, sirvió al joven abogado y político en agraz de excelente lección.

De regreso a Oaxaca, abrió bufete, pero de inmediato se tropezó con la Iglesia —*Sancho, con la Iglesia hemos topado*—, porque en realidad, y pese a la aparente *independencia* conseguida por México, la situación social seguía idéntica a la instaurada en la etapa de la dominación española.

> *El fuero que lo sustraía* (al clero) *de la jurisdicción de los tribunales comunes le servía de escudo contra la ley, de salvoconducto para entregarse impunemente a todos los excesos y a todas las injusticias. Los aranceles de los derechos parroquiales eran letra muerta. El pago de las obvenciones se regulaba según la voluntad codiciosa de los curas. Había, sin embargo, algunos eclesiásticos probos y honrados, que se limitaban a cobrar lo justo, y sin sacrificar a los fieles; pero eran muy raros estos hombres verdaderamente evangélicos, cuyo*

ejemplo, lejos de retraer de sus abusos a los malos, era motivo para que los censurasen (...). Entre tanto los ciudadanos gemían en la opresión y en la miseria, porque el fruto de su trabajo, su tiempo y su servicio personal, estaba todo consagrado a satisfacer la insaciable codicia de sus llamados pastores (Apuntes: 236/237).

Una de las primeras actuaciones de Juárez como letrado dejó honda huella en su ánimo al revelarle la situación de injusticia en que se persistía pese a la teórica revolución independentista. En los primeros meses de 1834, algunos vecinos del pueblo de Loricha acudieron al oaxaqueño para que les defendiera del cura párroco del lugar, quien exigía de sus feligreses mayores obvenciones y servicios personales de los que estaban contemplados en la ley. La querella del joven abogado progresó, sin duda, debido al hecho de que el gobierno del Estado se encontraba entonces en manos de los liberales, siendo el mismo Juárez diputado; pero no bien los liberales perdieron el poder, ganando de nuevo los reaccionarios, el juez eclesiástico suspendió el juicio permitiendo al cura regresar a su parroquia, donde en cuanto llegó mandó prender a los que le habían acusado y de acuerdo con el juez y el prefecto los encarceló en el pueblo de Miahuatlán.

Por aquel tiempo Juárez enseñaba precisamente derecho canónico en el Instituto de Ciencias y Artes, y habiéndose enterado de la prisión de sus clientes, se trasladó a Miahuatlán y *vio al juez que se llamaba* Don Manuel Feraud. *Pudo hablar con los detenidos, volvió a ver al juez y le suplicó que le informara del estado en que se encontraba la causa y que le dijera por qué había encarcelado a aquella pobre gente, respondiéndole el señor* Feraud *que no podía informarle porque la causa era reservada.*

> *... le insté* —dice Juárez— *que me leyese el auto de bien presos, que no era reservado y que debía haberse proveído ya, por haber transcurrido el término que la ley exigía para decretarlo. Tampoco accedió a mi pedido, lo que me obligó a indicarle que presentaría un ocurso al día siguiente para que se sirviese darme su respuesta por escrito a fin de promover después lo que a la defensa de mis patrocinados conviniere en justicia. El día siguiente presenté mi ocurso*

como lo había ofrecido; pero ya el juez estaba enteramente cambiado, me recibió con suma seriedad y me exigió el poder con que yo gestionaba por los reos; y habiéndole contestado que siendo abogado conocido y hablando en defensa de reos pobres no necesitaba yo de poder en forma, me previno que me abstuviese de hablar y que volviese por la tarde para rendir mi declaración preparatoria en la causa que me iba a abrir para juzgarme como vago. Como el cura estaba ya en el pueblo y el prefecto obraba por su influencia, temí mayores tropelías y regresé a la ciudad con la resolución de acusar al juez ante la Corte de Justicia, como lo hice; pero no se me atendió porque en aquel tribunal estaba representado también el clero. Quedaban, pues, cerradas las puertas de la justicia para aquellos infelices que gemían en la prisión, sin haber cometido ningún delito y sólo por haberse quejado de las vejaciones de un cura. Implacable éste en sus venganzas (...), quiso perseguirme y humillarme de un modo directo y para conseguirlo hizo firmar al juez Feraud *un exhorto, que remitió al juez de la capital, para que se procediese a mi aprehensión y me remitiese con segura custodia al pueblo de Miahuatlán, expresando por única causa de este procedimiento que estaba yo, en el pueblo de Loricha, sublevando a los vecinos contra las autoridades ¡y estaba yo en la ciudad distante a cincuenta leguas del pueblo de Loriche, adonde jamás había ido!*

El juez de la capital, que obraba también de acuerdo con el cura, no obstante de que el exhorto no estaba requisitado conforme a las leyes, pasó a mi casa a la medianoche y me condujo a la cárcel sin darme más razón que la de que tenía orden de mandarme preso a Miahuatlán. También fue conducido a la prisión don José Inés Sandoval, *a quien los presos habían solicitado para que los defendiera.*

Era tan notoria la falsedad del delito que se me imputaba y tan clara la injusticia que se ejercía contra mí, que creí como cosa segura que el Tribunal Superior, a quien ocurrí quejándome de tan infame tropelía, me mandaría inmediatamente poner en libertad; pero me equivoqué, pues hasta el cabo de nueve días se me excarceló bajo fianza y jamás se dio curso a mis quejas y acusaciones contra los jueces que me habían atropellado.

Ésa era la situación en Oaxaca y en México, más de diez años después de la declaración de la independencia: el régimen colonial no había muerto y los privilegios de unos y las injusticias sobre los indios y los más humildes pedían, a gritos, un reformador. En el fuero interno de Benito Juárez se iba creando ese *reformador* que estallaría con el paso del tiempo.

Cuando escribe sus *Apuntes,* Juárez deja en blanco cinco años de su vida: el período que abarca desde 1834 a 1839. Es probable que en ese lapso, en torno a los treinta de edad, haya una historia de amor absolutamente indocumentada. Se sabe por Jorge L. Tamayo que Juárez, antes de su matrimonio en 1843, fue padre de dos hijos: Tereso y Susana. Se ignora el nombre de la madre y apenas se sabe el del hijo; de Susana se ha podido saber que se convirtió en una inválida, adicta a las drogas, que cuidaban don Miguel Castro y su esposa, viejos amigos del abogado Juárez y fervientes seguidores de su doctrina. Es posible que, tratando de ocultar esa etapa de su existencia, no escribiera nada en aquellos *Apuntes para mis hijos;* el mayor de los misterios envuelve la identidad de la madre de Tereso y Susana, quien, según suposiciones, murió muy joven.

Tras esa confusa relación sentimental con una hembra que sigue ignorándose si fue india o no, tan a quién fue, su continuada vinculación a la familia de los Maza, donde su hermana María Josefa seguía trabajando, le llevaría finalmente a encontrar la mujer de toda su vida: Margarita. El 29 de marzo de 1826, cuando Benito contaba veinte años, la familia Maza se incrementó con una niña a la que se impuso de nombre de Margarita. En los registros de la iglesia de San Felipe Neri *se habla de doña Margarita como* hija legítima *de los Maza, lo que parece que dio pábulo a la creencia de que era hija adoptiva, quedando así explicado el hecho de que los Maza le permitieran casarse con un indio que, además, era de condición social tan diferente a la suya* (Smart). El hecho de que Benito frecuentara la casa de los Maza hizo sin duda que la niña creciera en familiaridad con el joven, y que la fama de éste fuera creando en su imaginación infantil un héroe del hermano de su cocinera y amigo de su padre. Margarita, por otra parte, *era una muchacha esbelta, risueña, blanca como el armiño:* no es extraño, pues, que se enamoraran. Poco después Benito pediría a lo señores Maza la mano de su hija, siendo la boda el 31 de julio de 1843 en la iglesia de San Felipe Neri. *La boda fue, en*

Oaxaca, un acontecimiento social; todos los oaxaqueños hablaban de los desposados y un cronista de la época escribio: **Buena moza ella; el novio, en cambio, es de estatura menos que media, de facciones fuertemente pronunciadas, manos y pies pequeños, color cobrizo, ojos negros, mirada franca, carácter poco comunicativo** (Foix).

Margarita fue la compañera de siempre y para siempre de Benito Juárez y la madre de doce hijos, de los que sólo sobrevieron a sus padres siete: Benito, el único varón, y seis hijas: Manuela, Margarita, Felicitas, Soledad, María Jesús y María Josefa. Otras tres hijas (Amada, Francisca y Guadalupe) y dos hijos (José y Antonio) murieron de diversas enfermedades a edad temprana. Todos estos años son, por una parte, un período dedicado a su vida privada, emotiva y familiar, y también tiempo de reflexión y de estudio. Juárez no figurará en esa etapa en ningún aspecto de la vida pública de México, hasta que en 1841 fue nombrado juez civil y de hacienda, puesto en el que permaneció hasta 1844.

> *En 1844* —dice el oaxaqueño en los *Apuntes*— *el gobernador del Estado, general don* Antonio León, *me nombró secretario del despacho del Gobierno y a la vez fui electo vocal suplente de la Asamblea Departamental. A los pocos meses se procedía a la renovación de los magistrados del Tribunal Superior del Estado, llamado entonces Departamento, porque regía la forma central en la nación, y fui nombrado fiscal segundo.*

Esta secuencia de la vida del abogado ha sido muy criticada, debido a que Antonio León pertenecía al grupo de los *retrógrados.* No obstante, su nombramiento como secretario del Gobierno fue indudablemente una transacción debida al prestigio del partido liberal y del propio Juárez en concreto. *Pero todos se equivocaron: Juárez no servía para el caso, pues no podía contemporizar con su jefe, halagando a los liberales. Carecía de ductilidad para lo primero y de deslealtad para lo segundo* (Zayas). Sin embargo, el poder de que dispuso en ese momento le permitió poner en marcha algunas de sus ideas reformadoras; es así que realizó algunas innovaciones en los tribunales, mejoró los registros, estableció una comisión sanitaria, estimuló la producción del hierro y la seda, y puso en marcha la construcción de una carretera entre Oaxaca y Tehuacán, utilizando nuevos procedimientos de financiación, como el uso de peaje y concesiones a las diligencias que usaban el camino. Esa situación, efectivamente, no podía durar y *al cabo de unos meses, un estudiante criticó públicamente a* León, *lo que motivó que el gobernador, como castigo, lo enviara a servir al ejército. Esta medida motivó que Juárez, como protesta, dimitiera de su cargo.* (Smart.)

Los turbulentos acontecimientos de aquellos años se complicaron todavía más con la intervención norteamericana, provocando la guerra entre México y Estados Unidos. Juárez fue elegido nuevamente diputado del Congreso local en 1845, pero a principios del 46 la Cámara fue disuelta a causa del levantamiento del general Paredes; pero los liberales, apoyándose en el Partido Santanista, lograron destruir la administración de Paredes, encargándose provisionalmente de la presidencia de la República don Mariano Salas.

> *En Oaxaca* —dice Juárez— *fue secundado el movimiento contra* Paredes *por el general don* Juan Bautista Díaz; *se nombró una junta legislativa y un poder ejecutivo compuesto por tres personas que fueron designadas por una Junta de Notables. La elección recayó en don* Luis Fernández del Campo, don José Simeón Arteaga *y en mí, y entramos desde luego a desempeñar este cargo con el que se nos había honrado... (Apuntes.)*

Aunque prontamente se deshizo la terna volviendo el oaxaqueño a su puesto en el Tribunal de Justicia del Estado, primero como fiscal y luego como presidente o regente, lo que se pone de manifiesto es que en estos años, en que apenas alcanza los cuarenta de edad, el carisma de Juárez se está imponiendo, y aumenta día a día su prestigio como jurisconsulto y hombre fiel al ideario liberal. Poco tiempo después el Gobierno general de la nación pidió a los departamentos que nombraran a sus representantes para proceder a la reforma de la Constitución de 1824. Juárez fue uno de los elegidos en Oaxaca:

> *... habiendo marchado para la capital de la República para desempeñar mi nuevo encargo a principios del mismo año 1846. Esta vez*

estaba invadida la República por las fuerzas de los Estados Unidos del Norte...

Las luchas entre liberales y conservadores hicieron imposible preocuparse con la seriedad que el caso requería —era mucho lo que los mexicanos se jugaban en el envite— de una guerra en la que México acabó perdiendo prácticamente la mitad de su territorio. Poco después el motín de los *Polkos* haría aún más insostenible la situación. En agosto de 1846 Juárez regresa a Oaxaca (Estado del que no tardará en ser nombrado gobernador):

> *Los liberales, aunque perseguidos, trabajaban con actividad para restablecer el orden legal, y como para ello les autorizaba la ley, pues existía un decreto expedido por el Congreso General a moción mía y de mis demás compañeros de la Diputación de Oaxaca reprobando el motín verificado en ese Estado y desconociendo a las autoridades establecidas por los revoltosos, no vacilé en ayudar del modo que me fue posible a los que trabajaban por el cumplimiento de la ley que ha sido siempre mi espada y mi escudo (...). El día 23 de noviembre logramos realizar con buen éxito un movimiento contra las autoridades intrusas. Se encargó del Gobierno el presidente de la Corte de Justicia, licenciado don* Marcos Pérez; *se reunió la legislatura, que me nombró gobernador interino del Estado de Oaxaca.*

La preparación jurídico-política de Benito Juárez García había concluido: **empezaba a partir de aquel instante, verdaderamente, el período más fecundo en la vida política de aquel indio torpón y raquítico que a los doce años no pronunciaba una sola sílaba en castellano.**

Creemos haberlo dicho con anterioridad: QUERER ES PODER.

En agosto de 1846, al tomar posesión como presidente interino de la República militar José Mariano Salas, se nombró en Oaxaca un triunvirato temporal para gobernar el Estado, del que formaba parte Benito Juárez. Finalmente, José Simeón Arteaga fue designado gobernador, pero en octubre del año siguiente Juárez ocupó interinamente el gobierno de su Estado natal, y en agosto de 1848, después de presentarse a las elecciones, se le designó para el período completo.

En su primer discurso como gobernador electo, Benito puso de manifiesto el ideario que iba a presidir su trayectoria en favor de las clases desposeídas y olvidadas, al afirmar que: *cuidaré escrupulosamente de que se engrandezcan y labren un porvenir con las garantías y dignidad que corresponden a todo ser humano.*

Se mostró cautamente conciliador con la Iglesia para evitar, en principio, enfrentamientos innecesarios con el poder eclesiástico, que en aquel momento hubieran sido desfavorables y hubieran podido dañar su carrera, además de que su tacto político le aconsejaba que todavía no era el momento propicio para enseñar sus *cartas* al respecto. Esta medida precautoria arrojó frutos positivos: el clero tomó la decisión de cooperar con el Gobierno.

La gestión de Juárez promovió la construcción de puertos y de cerca de cien kilómetros de caminos, medida que contribuyó a unificar el Estado. Atento siempre a la educación de su comunidad de origen, como se ha mencionado reiteradamente a lo largo de esta biografía, propició la edificación de nuevas escuelas primarias y normalistas, preocupándose así mismo de que se llevara a cabo una reorganización en los sistemas educativos del Instituto de Ciencias y Artes, asignándole a la vez mayores fondos.

Evidenció, como era de prever, su faceta progresista impulsando el establecimiento de nuevas prácticas agrícolas entre los campesinos de Oaxaca e igualmente, como un incentivo a la minería, estableció la Casa de la Moneda. Por lo que al área militar hace referencia, disolvió la tropa permanente para crear la Guardia Nacional, extinguiendo las comandancias generales porque, según su criterio, anulaban la soberanía de los estados y habían sido la causa de los constantes levantamientos surgidos durante la primera mitad del siglo XIX. Mandó edificar un hospital militar, estableciendo que se concedieran pensiones a las viudas de los veteranos de guerra. Por otra parte, bajo su mandato se realizó una carta geográfica de su Estado, así como un plano de la ciudad de Oaxaca. En el sector económico se registró un superávit, lo cual, en aquellos años, era un logro inusitado que estaba al alcance de muy pocos, o quizá de ninguno que no se apellidara Juárez.

La brillantez que iluminó aquella etapa de la política juarista se vio ensombrecida, triste y desgraciadamente, al desatarse la guerra contra los Estados Unidos y una mortal epidemia de cólera que se cobró cerca de diez mil vidas, entre las que se contaba la de Guadalupe Juárez, su hija.

Este período gubernamental finalizó en agosto de 1852. En el 48, el general Santa Ana había llegado a la frontera del Estado de Oaxaca; avisado Juárez de la inminente presencia del caudillo militar, le impidió el paso a la capital de su entidad, como una medida para garantizar el equilibrio político-social de las tierras que estaban bajo su responsabilidad. Santa Ana escribió en sus memorias que la actitud de don Benito era la consecuencia de que con anterioridad había tenido que servir la mesa en que comió el militar cuando ocupó esa ciudad y que por ello, Juárez, aprovechaba la conyuntura para cobrar venganza. Sin embargo, don Benito siempre ignoró esta afirmación, sosteniendo que su negativa a dar acceso a las tropas del general respondía única y exclusivamente al hecho de salvaguardar la estabilidad del territorio que había sido confiado a su custodia y responsabilidad política.

Nombrado gobernador nuevamente en 1856, su primera actuación se circunscribió al restablecimiento del Instituto de Ciencias y Artes, clausurado en su momento por los conservadores, convocando de inmediato elecciones y, conforme a la Constitución de 1857, resultó electo con abrumadora mayoría para seguir gobernando en su Estado. En esta segunda etapa determinó la necesidad de que el Instituto impartiera enseñanzas de ciencias militares, para que los graduados civiles pudieran, en el instante en que las circunstancias así lo requirieran, realizar tareas castrenses; así mismo, en este período, calmó las tensiones existentes entre varios pueblos, logrando además incorporar el istmo de Tehuantepec al Estado de Oaxaca.

Una anécdota durante este segundo mandato como gobernador sentaría una especie de *jurisprudencia tradicional* que parece ser que todavía se conserva: por aquellos años era costumbre que los gobernadores, después de su toma de posesión, asistieran en la catedral a un *Tedéum* (acto litúrgico de acción de gracias), siendo recibidos por el obispo en la puerta y acompañados por éste al interior del templo para celebrar el rito religioso. Juárez, enterado de que los clérigos, conscientes de su ideario liberal y en represalia por la llamada *Ley Juárez,* habían tomado la decisión de darle con las puertas de la iglesia en las narices, declaró que tal actitud le parecía correcta, puesto que los políticos, en su calidad de funcionarios, no debían protagonizar este tipo de acciones. Su decisión de ignorar olímpicamente un ritual transformado en costumbre fue reglamentada luego en las Leyes de Reforma.

Benito Pablo Juárez García, gobernador, se caracterizó por seguir una administración honesta, a salvo de dudas o críticas sobre su conducta, buscando establecer medidas que beneficiaran a las clases menos afortunadas y oprimidas. Era perfecto conocer de las carencias de los pobres y del poder acumulado por las esferas privilegiadas; su liberalismo era, obviamente, la resultante de su enfrentamiento con la situación real de la comunidad y de su país, y no una consecuencia directa de su formación intelectual. En opinión de los oaxaqueños, Benito Juárez fue —y sigue siéndolo, pese al transcurso de tantos años— el mejor gobernador que jamás tuvo —ha tenido y tendrá— el Estado de Oaxaca.

Capítulo II

— Colaboración revolucionaria —

No se confundan los lectores al observar una aparente incoherencia en el establecimiento de las fechas que se citan en el capítulo anterior sobre la actividad política de Juárez y las que aparecen en el presente. Ni existe error ni tampoco incoherencia: sucede, sencillamente, que en el **capítulo primero se han incluido los dos períodos en que Benito gobernó el Estado de Oaxaca,** *sin citar su etapa en el exilio* (para no romper la estructura literaria), *a la que nos referimos ahora, en este* capítulo segundo, *así como su ferviente apoyo a la causa revolucionaria. El hecho concreto es que, al término de esta biografía, el lector podrá comprobar cómo fechas y actuaciones del protagonista acaban encajando correcta y cronológicamente.*

Con la nueva Administración conservadora de México, la de Oaxaca, liberal, estaba condenada. Juárez había terminado su etapa gubernamental en agosto de 1852; Ignacio Mejía, igualmente consagrado, le sucedió, nombrando a Benito director del Instituto de Ciencias y Artes y catedrático de derecho civil. El interés y la dedicación del oaxaqueño en el proceso educativo como base para un futuro en el que confiaba es claro, pero lo es también que su nuevo cargo tenía ventajas desde la vertiente del adoctrinamiento y la propaganda, según la facción de que dependiera. En consecuencia, cuando Mejía fue defenestrado por los santanistas el nuevo Gobierno obró de idéntica forma con Juárez;

siguieron otros agravios de los conservadores y por lo menos en una ocasión se atentó contra su vida. Él se limitó a reanudar lo más pronto posible el ejercicio de la abogacía. En mayo de 1853 se nublaron nuevamente sus esperanzas de vivir en paz, ya que fue arrestado; evidencia ésta de la importancia que le atribuía el partido conservador (y del miedo político que les inspiraba la carismática figura de Juárez) en virtud de su capacidad de mando y de sus múltiples aportaciones a la causa liberal. Se le estuvo trasladando de prisión en prisión hasta que finalmente quedó bajo la custodia del hijo de Santa Ana, que lo habría de conducir a San Juan de Ulúa, donde se le dio un pasaporte y le embarcaron con destino a Europa en exilio pero, al arribar a La Habana, se embarcó con rumbo a Nueva Orleáns (EE. UU.), para ir al encuentro de otros antagonistas del general, dando así comienzo una nueva etapa formativa de su vida, excepcionalmente decisiva para México.

Con la llegada de Benito Juárez a la capital de Louisiana iba a verse seriamente reforzado y potenciado el núcleo de exiliados y enemigos del general Santa Ana, entre los que figuraban Melchor Ocampo, que no sólo era el jefe indiscutible del grupo, sino también presidente del *Comité Revolucionario;* José María Maza, de Jalapa, y además Ponciano Arriaga, Juan Bautista Ceballos, ex presidente interino de México antes del regreso del general; Manuel (o Miguel María) Arrioja, Manuel Cepeda Peraza y Rafael Cabañas. El grupo, aunque reducido, era muy activo, pero sus integrantes lo estaban pasando francamente mal; la mayoría de ellos vivían en miserables pensiones, ejerciendo los oficios más humildes y variopintos en la lucha diaria por la subsistencia. Puede decirse, sin miedo a caer en el error, que la mayoría de aquellos patriotas liberales *pasaban hambre,* pero, su interés por los acontecimientos que se estaban produciendo en México durante su ausencia y la fe que tenían depositada en la democracia, les hacía soportar con dignidad y elegancia aquellas momentáneas penalidades. El más austero de todos, sin duda Benito Juárez (*jamás le vi caer en el desaliento* —afirmaba Cabañas—, *ya que siempre parecía entero frente a cualquier dificultad por complicada que fuera; ni su expresión ni su sem-*

blante cambiaban, a pesar de las circunstancias), potenciaba moralmente con su ejemplo a sus compañeros de desventuras.

Como el color de su piel era casi tan oscuro como el de los negros de la región de Nueva Orleáns y el trato que se daba a éstos, más que discriminatorio, era vejatorio, el ilustre político exiliado que era don Benito tenía que sufrir y soportar en múltiples ocasiones la misma situación insultante que padecían los negros norteamericanos. *Se dice también, y no es difícil creerlo, que al pasear Juárez por la orilla del río, sufría y se enfurecía al ver las esclavas negras cultivando los campos* (Smart).

Rafael Cabañas cuenta algunas historias relativas a Juárez, que consideramos de interés traer a colación:

«Luego que desembarcó Benito Juárez en unión de los señores Ocampo, Maza y Arriaga en Nueva Orleáns, hospedáronse en el *Hotel Cincinnati,* en donde habíamos varios expulsos; como a los ocho días del de su llegada se estableció una junta compuesta por los expresados señores y algún otro de los expulsos con objeto de convenir la estrategia idónea para derrocar al gobierno de *Santa Ana...*

A la entrada del verano, cuyos estragos son terribles en Nueva Orleáns, todos los compañeros de destierro se dispersaron por distintos lugares de los Estados Unidos y solamente el señor Juárez y yo nos quedamos, siéndonos necesario abandonar el hotel y mudarnos a una casa situada en la calle de San Pedro, dada nuestra escasez de recursos económicos; la terrible enfermedad del *vómito negro* alcanzó al señor Juárez, salvándose por pura casualidad su vida, pues carecíamos de fondos para que se le atendiera debidamente.

Restablecida la salud de don Benito, su ocupación, de las cinco de la mañana a las once de la noche, era venir y examinar todas las disposiciones relativas al sistema de colonización que tiene su origen en aquella gran República...».

La parquedad pecuniaria que sólo se aliviaba ligeramente cuando Juárez recibía alguna transferencia procedente de Oaxaca, les obligó a cambiar con frecuencia de hospedaje: vivieron en una buhardilla en casa de la exorcista *madame* Doubard; en otra casa cuyo alquiler les costaba ocho pesos mensuales y una negra les atendía por otros ocho pesos por cada uno de los exiliados. Los intentos para resolver el problema fueron muchos y hasta originales; en uno de esos intentos, Juárez y Maza aprendieron de un supuesto doctor Borrego el «arte» de torcer cigarrillos y puros. El pseudodoctor tenía su consulta y *fábrica* en una cabaña de la calle de los Hombres Grandes; una y otra actividad sólo quedaban separadas por una corta y mugrienta cortina. *Si alguien llamaba* —cuenta Cabañas— *se asomaba Maza y cuando se trataba de un enfermo, Borrego se quitaba el delantal, poniéndose la levita de médico, auscultaba, palpaba, recetaba... y cobraba.* Una vez que Maza aprendió el *oficio,* se lo enseñó a Juárez. Los cigarrilllos y puros iban a venderlos por las noches en las cantinas de los barrios apartados y, con lo que obtenían de aquel miserable negocio, tomaban un café con leche y pan negro en los puestos ambulantes del *French Market.*

Desde principios de 1854 a junio de 1855 se sucedieron en México varios intentos para defenestrar a Santa Ana. El cacique de Tamaulipas, Nuevo León y Coahuila, don Santiago Vidaurri, se alzó en armas en la ciudad de Monterrey con la intención de formar la República Independiente de Sierra Madre. Por su parte, Ignacio Comonfort trataba de proclamar la independencia de Guerrero. Melchor Ocampo, en vista de que sus medios de fortuna se agotaban, se trasladó con su hija a la ciudad de Brownsville (Texas/EE. UU.), desde donde intentaba promover la revolución en el norte de México.

La dictadura fundada y desarrollada por Antonio López de Santa Ana, no siendo tan «perfecta» como las posteriores que ha ido padeciendo la humanidad, sí alcanzó un grado de «eficacia» dentro de sus objetivos, como pocas lo habían logrado anteriormente: todos sus enemigos habían sido encarcelados o exiliados; la prensa estaba sometida a una férrea censura; el dictador favorecía descaradamente a la Iglesia, el Ejército aumentó sus efectivos hasta cerca de los 100.000 hombres; los cargos de la Administración estaban en manos de los predilectos y exégetas del dictador, la ambición del cual le llevó a pensar en autoproclamarse *emperador,* pero, *debido quizá al recuerdo del fin de Iturbide, desechó la idea, contentándose con el título de Su Alteza Serenísima* (Smart).

El final de la oligarquía santanista vino a producirse a partir de la proclamación del Plan de Ayutla por el coronel Florencio Villarreal. Dicho *plan* había sido concebido por Ignacio Comonfort, coronel retirado que vivía en Acapulco, de cuya aduana había sido administrador. El plan revolucionario de Comonfort le fue presentado al prestigioso general Juan Álvarez, el cual había apoyado todas las rebeliones de carácter liberal desde los tiempos de Morelos. Aprobado el plan por Álvarez, Comonfort se dirigió a la hacienda de *La Providencia,* cerca de Ayutla, donde se entrevistó con el general Tomás Moreno y los coroneles Florencio Villarreal y Diego Álvarez; fue en esa hacienda donde se redactó *el plan* que Villarreal proclamaría en Ayutla el 1 de febrero de 1854.

Aunque el general Santa Ana alistó un numeroso ejército para enviarlo de inmediato hacia el Sur para abortar la revolución, ésta se puso en marcha arrastrando tras de sí a infinidad de personalidades militares y civiles, e incluso estudiantes, entre los que se contaba un antiguo alumno de Juárez llamado Porfirio Díaz, quien abandonó los estudios para ponerse al frente de un grupo de guerrilleros; el movimiento revolucionario iba a estar acudillado por el general Álvarez, teniendo como a su principal lugarteniente a Comonfort.

El ejército de Santa Ana, pese al extremo vandalismo del que hizo gala —incendios de pueblos y aldeas, asesinato masivo de prisioneros, etc.—, no pudo evitar que la revolución se extendiera como un reguero de pólvora: Santos Degollados se levanta en Michoacán, Santiago Vidaurri en Nuevo León, y el gobernador Manuel Doblado en Guanajauto, haciendo cada vez más insostenible la actitud del dictador.

Por su parte, los mexicanos exiliados en Nueva Orleáns y/o Texas, como el propio Juárez y los demás miembros del Comité Revolucionario, seguían con atención los acontecimientos de México, aunque sin incorporarse decididamente a la lucha, sino ya en el mes de julio de 1855, próxima la caída de Santa Ana. El propio Benito lo relata en sus *Apuntes:*

Viví en esta ciudad (Nueva Orleáns) *hasta el 20 de junio de 1855, en que salí para Acapulco a prestar mis servicios en la campaña que los generales* Álvarez y Comonfort *dirigían contra el poder tiránico de* Antonio López de Santa Ana. *Hice el viaje por La Habana y el istmo de Panamá y llegué al puerto de Acapulco a fines del mes de julio. Lo que me determinó a tomar esta decisión fue la orden dada por* Santa Ana, *de que los desterrados no podrían volver a la República sin prestar previamente la protesta de sumisión y obediencia al poder tiránico que ejercía en el país. Luego que esta orden llegó a mi noticia hablé con varios de mis compañeros de destierro y dirigí a los que se encontraban fuera de la ciudad una carta que debe existir entre mis papeles, en borrador, invitándolos a que volviésemos a la patria, no mediante la condición humillante que se nos imponía, sino a tomar parte en la revolución, ya que se operaba contra el tirano para establecer un gobierno que hiciera feliz a la nación, por los medios de la justicia, la libertad y la igualdad. Obtuve el acuerdo de ellos (...). Todos se fueron para la frontera de Tamaulipas y yo marché para Acapulco.*

Al llegar a Acapulco en la nave *Flor de Santiago,* en la que había embarcado en Panamá, Juárez buscó a Diego Álvarez, hijo del general, a quien pidió incorporarse a su ejército para hacer lo que se le ordenara. Se acordó que se dedicara a redactar y escribir cartas, integrándose así en la comitiva del general, que ese mismo día iba a partir rumbo a Taxco, donde quedaría instalado provisionalmente el Cuartel General Revolucionario. La presencia de Benito en el ejército de Álvarez, tan modesta, sigilosa y casi secreta, motivaría años más tarde los siguientes comentarios de Diego Álvarez:

«Estando nosotros desprovistos de ropa y viendo la necesidad que de ella tenía el recién llegado, no tuvimos más remedio que vestirlo de soldado, esto es, un calzón y cotón de manta, un cobertor de mi padre, un par de zapatos y una cajetilla de cigarrillos, con lo cual se entonó admirablemente. Por lo demás, mi señor padre, que tuvo gusto en recibir a un colaborador espontáneo en la lucha emprendida contra Santa Ana, estaba en la misma perplejidad que yo, y al ofrecerse él a escribir en la secretaría, repitiendo que había venido para ver en lo que podía ayudar aquí, donde se

peleaba por la libertad, se le ordenó que contestara algunas cartas de poca importancia, las que contestaba con la mayor modestia y luego las presentaba a la firma satisfecho de su labor. Pasados algunos días, llegó un correo con la noticia de que nuestro movimiento se extendía hacia la capital y, como el primer pliego del paquete venía rotulado así: ***Al Lic. don Benito Juárez,*** **pregunté:**

—¿Quién es aquí el licenciado Benito Juárez?

—Yo, señor —contestó en voz baja el voluntario.

Y sofocado, exclamé:

—Pero, ¿por qué no me había dicho que usted es don Benito Juárez?

—¡Para qué —repuso—, **soy un luchador como otro cualquiera!»**

La marcha de los acontecimientos en todos los ámbitos de México, con las continuas y generalizadas rebeliones, hacían presagiar que el final de la dictadura estaba cercano. En efecto, el 9 de agosto, el general Santa Ana escaparía furtivamente de la ciudad de México, dirigiéndose a Veracruz. El 12 de ese mes, en Perote, Santa Ana publica *un manifiesto glorificándose a sí mismo y acusando a los demás,* tratando de perpetuarse a través de un *triunvirato* elegido por él, que asumiría todas las funciones de gobierno en su ausencia. El día 17 de agosto el dictador embarcaría rumbo a La Habana para seguir luego hacia Cartagena.

Ante la huida de Santa Ana, varios generales del mismo grupo del tirano, disconformes con éste y su política al parecer, al analizar la situación optaron por formar una Junta que apoyaría el Plan de Ayutla, pero que se atribuía la capacidad de nombrar al presidente de la República, como así lo hizo, encargándose de la presidencia el general Martín Carrera. Cuando se conoció la noticia estalló el júbilo por la deserción de Santa Ana y el nombramiento del nuevo presidente, pero solamente Benito Juárez fue capaz de reflexionar acerca de los acontecimientos, observando la inconveniencia de tal nombramiento de presidente, cuando los que habían llevado adelante el Plan de Ayutla y, por tanto, contribuido decisivamente al derrocamiento del dictador, no habían intervenido para nada en tal elección, más bien eran los propios correligionarios del propio Santa Ana quienes, ahora disconformes con su antiguo jefe, nombraban en realidad a su sucesor.

Como el propio Juárez opina en sus *Apuntes* al relatar estos acontecimientos, es probable que tanto Martín Carrera como quienes lo eligieron no fueran malintencionados, pero obviamente se trataba de una usurpación. Mientras el general Álvarez, cuyo cuartel general se hallaba en Taxco, conocía estos hechos y por consejo de Juárez los desaprobaba, iniciando una marcha hacia la capital de la República, el recién nombrado presidente de México enviaba varios emisarios al general para persuadirle de la legitimidad de su nombramiento. Juárez narra así ese final de la revolución iniciada en Ayutla el año anterior:

> *El señor general* Juan Álvarez *que se hallaba en Taxco, donde tenía su cuartel general, conoció perfectamente la tendencia del movimiento de México; desaprobó el plan luego que lo vio y dio sus órdenes para reunir sus fuerzas a fin de marchar hacia la capital a consumar la revolución que él mismo había iniciado.*
>
> *A los pocos días hizo acto de presencia en Taxco don* Ignacio Campuzano, *comisionado de don* Martín Carrera, *con el objeto de persuadir al señor* Álvarez *de la legitimidad de la presidencia de* Carrera *y de la conveniencia de que lo reconocieran todos los jefes de la Revolución con sus fuerzas. En la junta que se reunió para oír al comisionado y a la que yo asistí por deseo expreso del general* Álvarez *se combatió de una manera razonada y enérgica la pretensión de* Campuzano *en términos de que él mismo se convenció de la impertinencia de su misión y ya no volvió a dar cuenta de ella a su comitente. En seguida marchó el general* Álvarez *con sus tropas en dirección a México. En Chilpancingo se presentaron dos comisionados de don* Martín Carrera. *Se les oyó también en una junta a la que yo asistí y como eran patriotas de buena fe quedaron igualmente convencidos de que era insostenible la* **presidencia de Carrera** *por haberse establecido contra el voto nacional, contrariándose al tenor expreso del plan político y social de la revolución. A moción mía se acordó que en carta particular se dijese al general* Carrera *que no insistiese en su pretensión de retener el mando para cuyo ejercicio ca-*

recía de títulos legítimos, como se lo manifestarían sus comisionados. Regresaron éstos con esta carta y don Martín Carrera *tuvo el buen juicio de retirarse a la vida privada, quedando de comandante militar de la ciudad de México uno de los generales que firmaron el acta del pronunciamiento de la capital pocos días después de la fuga de* Santa Ana.

La situación en el país no era todavía muy clara. Antonio Haro en San Luis Potosí presentó un nuevo *plan* en el que se trataba de asegurar el apoyo de la Iglesia, el Ejército y los grandes propietarios, protegiendo sus derechos sobre las propiedades adquiridas en el período de la dictadura de Santa Ana. En Guanajuato, Manuel Doblado proclamaba otro *plan,* particular por su parte. Comonfort tuvo la habilidad de convencerles para que abandonaran sus respectivos *planes,* aceptaran el de Ayutla y, por supuesto, la jefatura del general Álvarez. Éste, en su marcha hacia la capital, expidió un manifiesto a la nación, seguramente redactado por Juárez, que proclamó en Iguala, al mismo tiempo que nombraba un Consejo compuesto por un representante de cada uno de los Estados de la República; dicho Consejo, del cual formaba parte Benito Juárez, como representante de Oaxaca, reunido en Cuernavaca, procedió a la elección de presidente de la República, *resultando electo por mayoría de sufragios el ciudadano general* Juan Álvarez, quien tomaría posesión inmediatamente después.

Como Juárez había notificado a Melchor Ocampo la conveniencia de que se trasladara de inmediato al cuartel general de Álvarez, cuando éste formó gobierno, pudo contar con la colaboración imprescindible de Ocampo, no sólo como ministro, sino incluso como jefe de su propio gabinete. El gobierno del presidente Álvarez quedó compuesto, pues, de la siguiente manera:

- Melchor Ocampo, ministro de Relaciones Interiores y Exteriores.
- Ignacio Comonfort, ministro de la Guerra.
- Guillermo Prieto, ministro de Hacienda.
- Benito Juárez, ministro de Justicia, Negocios Eclesiásticos e Instrucción Pública.

- J. Miguel Arrioja, ministro de Gobernación.
- Ponciano Arriaga, ministro de Fomento.

Formado el Gobierno, el nuevo presidente se trasladó de inmediato a la capital de la República.

Capítulo III

— Secretario de Estado —

Las dificultades que se le planteaban el nuevo gobierno presidido por Álvarez desde sus inicios, se gestaban internamente, procediendo del carácter de sus mismos integrantes. El propio general se sentía tan incómodo como inseguro en cargo tan elevado —que traía inherentes exigencias tales como las de los máximos sacrificios por parte del primer mandatario—, cual lo era la presidencia de la República, de modo y manera que, apenas concluido el *Tedéum* en acto de agradecimiento por su elección, pidió a Melchor Ocampo que se ocupara de formar y dirigir el gabinete, no sin vencer muchas de las dudas que lo atenazaban en aquel instante, sobre todo por la presencia del general Comonfort —que también preocupaba, y mucho, a Ocampo—, el más popular de los militares integrantes del Plan de Ayutla (después del mismo Álvarez, era obvio), y al que no podía en modo alguno excluírsele en la composición del nuevo Gobierno, donde Ocampo acabaría asignándole el Ministerio de la Guerra.

Por otra parte, en la formación del Gobierno existía una cierta incoherencia, ya que al lado de liberales como Juárez, Prieto y el propio Ocampo, Comonfort representaba un lastre insalvable en cualquier proyecto reformista de la Administración, ya que por su ideología estaba más próximo al grupo moderado aunque, en ocasiones, actuaba como auténtico conservador. Al mismo tiempo, toda una retahíla de intereses y ambiciones personales encontradas hacía del momento uno de los más complicados (¡por si la historia de México no lo hubiera sido poco!) del devenir histórico independiente de la neófita República; en cualquier caso, y por encima de todo, se veía que Comonfort jugaba un papel retrógrado, por no decir antagónico, al curso reformador del nuevo ejecutivo. Benito Juárez lo expresa claramente cuando se refiere a la composición del Consejo de Iguala:

> *El general* Comonfort *no participaba de esta opinión, porque temía mucho a las clases privilegiadas y retrógradas. Manifestó sumo disgusto porque en el Consejo formado en Iguala no se hubiera nombrado ningún eclesiástico, aventurándose, alguna vez, a decir que sería conveniente que el Consejo se compusiese en su mitad de clericales, y de las demás clases la otra mitad. Quería también que quedaran colocados en el Ejército los generales, jefes y oficiales que hasta última hora habían servido a la tiranía que acababa de caer. De aquí resultaba grande entorpecimiento en el despacho del Gabinete en momentos que era preciso obrar con actividad y energía para reorganizar la Administración pública, porque no había acuerdo sobre el programa a seguir.*

Estas primeras tensiones en el seno del Gobierno de Álvarez condujeron a la dimisión de Melchor Ocampo, quien arrastraba tras de sí a Juárez y Prieto, aunque estos últimos volvieron de su acuerdo por la situación política general y por el hecho de que, especialmente para Juárez, pertenecer al Gobierno, aun en aquellas condiciones, era una oportunidad para introducir alguna de las reformas en que tantas veces había pensado.

Comonfort, por otra parte, era un hombre de una extraordinaria habilidad (gozaba de esa mano izquierda que se dice *deben tener los políticos,* aunque él no lo fuera de procedencia): había sabido convencer, como ya se ha dicho, a Haro y a Doblado para que renunciaran a sus proyectos y aceptaran el mando de Álvarez; tenía, además, un especial ingenio para conseguir armas de Estados Unidos, al mismo tiempo que siendo un revolucionario ofrecía las mayores esperanzas a los conservadores, quienes *estaban decididos a prestar todo su apoyo a* Comonfort, *ya que creían que era el único que podía salvarles del fanfarrón y viejo rebelde que era* Álvarez; *de* Ocampo, *el bastardo radical; del extravagante* Prieto *y del silencioso pero siniestro* Juárez (Smart).

La posición de Comonfort y su carácter son complejos y confusos. Su ambición era grande o, por lo menos, mayor que la de Juárez, por ejemplo, pero a la vez deseaba sinceramente reformar la Administración y la sociedad mexicanas de su época, pero siguiendo procedimientos moderados o tímidos; era un hombre vigoroso y frío al mismo tiempo, torpe y temeroso del poder de los conservadores, por eso su manera de enfrentarse a los problemas y dificultades era precisamente la que deseaban los radicales (que *eso eran,* aunque se hicieran llamar *conservadores*) que adquiriera el gobierno, porque con tal estilo se perpetuaban sus privilegios y, en definitiva, nada cambiaba más de lo debido, o sea, *nada.* Juárez con su proverbial agudeza vio así al personaje en sus *Apuntes:*

> *(...) Como los moderados querían apoderarse de la situación y no tenían otro hombre más a propósito por su debilidad de carácter para satisfacer sus pretensiones que el* general Comonfort, *se rodearon de él halagando su amor propio y su ambición con hacerle entender que era el único digno de hacerse con el mando supremo por los méritos que había contraído en la revolución y porque era bien recibido por las clases de la alta sociedad. Aquel hombre poco cauto cayó en la red, entrando hasta en las pequeñas intrigas que se fraguaban contra su protector, el general* Álvarez.

Contrariamente a la postura de Ocampo, que le llevó a dimitir apenas quince días después de haber entrado a formar parte del gobierno, Benito Juárez persistió en su Ministerio con el decidido propósito de implantar reformas importantes en el ámbito de sus competencias. Así, pues, Juárez se propuso atacar frontalmente a dos de los *poderes fácticos* del México de la época: la Iglesia y el Ejército, acabando con los tribunales especiales de ambos colectivos. La ley que enfrentaba ese problema vino en llamarse *Ley Juárez* y su implantación tuvo numerosos problemas, a los que nos referiremos seguidamente.

Es obvio que la oposición dentro del Gobierno iba a estar protagonizada por Comonfort, pero esta postura vino a combinarse con la que el mismo general ofrecía al proyecto, también defendido por Juárez y Ocampo, de suprimir el ejército *como medida de orden, paz y de economía.* En efecto, ante este intento de supresión del Ejército, el general Comonfort debía oponerse con todas sus fuerzas mientras se encontrara formando parte del Gobierno. *En tales circunstancias* —dice Zerezero— *era imposible sacar ninguna medida favorable al partido liberal sin usar de alguna estratagema. Así lo comprendió Juárez y, aprovechando los momentos en que* Comonfort *se separó dos o tres días de la capital, obtuvo de* Álvarez *que firmara la célebre ley de administración de justicia de 22 de noviembre, conocida como* Ley Juárez.

Conociendo las maneras del oaxaqueño, el enfoque de Zerezero se antoja inverosímil: por eso, las rectificaciones del propio Juárez ante estas afirmaciones en la carta que escribió a Romero nos parecen mucho más ajustadas a la verdad, no sólo porque así lo afirme Juárez, sino porque encaja más acorde en su *modus operandi.* En esa misiva a Romero, decía Benito:

«Cuando llegó el señor Álvarez a la ciudad de México en 1855, el punto al que dedicó preferentemente su atención fue a la reorganización de la Administración pública, por lo que en la primera junta del gabinete que se celebró, acordó que los ministros trabajasen en sus respectivos ramos y le presentasen los proyectos de leyes y reglamentos que debían expedirse con aquel objeto. Desde entonces manifesté que, en mi concepto, era indispensable introducir en el ramo de la Administración de Justicia algunas reformas derogando o modificando, por lo pronto, las disposiciones que daban existencia a los tribunales especiales, por ser notoriamente nocivos a la sociedad, por el abuso de las clases a cuyo favor se dictaron y por estar en pugna abierta con el principio de igualdad que México, en la última revolución que acababa de triunfar, se había propuesto hacer efectivo. El señor Álvarez estuvo conforme con esta indicación y el señor Comonfort *no la contrarió.* En este concepto formé el proyecto de Ley de la Administración de Justicia, que presenté al señor presidente, para que se tomara en consideración. El señor Comonfort, cuando le hablé de este tema, manifestó que, estando

sumamente recargado de quehaceres en su Ministerio, no podía asistir a la lectura y examen del proyecto, pero que se podía despachar sin su presencia, en el concepto de que estaba conforme con lo que se acordase. El señor presidente fijó día y hora para que se realizase tal cuestión y, llegado el momento convenido, el señor Álvarez dijo que el señor Comonfort no asistiría al acuerdo por haber salido de la ciudad, para asuntos familiares. Entonces, y en atención a que la administración de justicia estaba paralizada por falta de magistrados y jueces legalmente nombrados, dispuso el señor presidente que no se demorase **por más tiempo el despacho de este negocio. Leído, discutido y aprobado el proyecto a que aludo, mandó el señor Álvarez que se imprimiera y publicase como** *ley,* sin que en esto hubiera habido sorpresa **ni estrategia de ninguna especie.»**

Como afirma Zayas, es posible que lo que pudiera haber sucedido en aquel caso fuera un acuerdo entre las dos partes intergubernamentales, de manera que Juárez y Ocampo dejarían de insistir en su tesis de suprimir el Ejército, a cambio de que Comonfort no opusiera resistencia a la aprobación de la *Ley Juárez.* Es bastante probable que Comonfort, para no comprometerse con la aprobación de esta ley, buscara una forma más o menos justificada y creíble de ausentarse de México, precisamente el día que se iba a discutir por el ejecutivo: así, ante los ojos de los moderados y conservadores, Comonfort no había aprobado en persona la ley. Por su lado, el partido liberal recibió con entusiasmo esta disposición, que frenaba los privilegios de los que hasta entonces gozaran los tribunales eclesiásticos que ahora no tendrían jurisdicción, *dejarían de conocer,* en los negocios civiles, al tiempo que los tribunales militares tratarían única y exclusivamente los delitos incluidos en el ámbito castrense (o delitos mixtos de las personas sujetas al fuero de guerra).

La llamada *Ley Juárez* no era en verdad una ley (en la pura acepción del vocablo): más bien se trataba de un decreto respaldado por el poder revolucionario, pero que no podía ser anulado por los estados. Su importancia, así como su eficacia, quedó confirmada por el hecho de que, como otras conquistas de la Reforma, fue ampliada pero nunca derogada.

La oposición conservadora recibió esta ley con manifiesta virulencia, hasta el extremo de que el arzobispo tuvo el atrevimiento de manifestar que el susodicho tema fuera sometido al arbitraje del Pontífice, actitud ésta a la que el ejecutivo que presidía Álvarez se opuso tajantemente. La *Ley Juárez* vino de esta guisa a convertirse en la enseña de los *puros* y del espíritu progresista de la Revolución, que contaba con el amplio e incuestionable soporte de la opinión popular, que veía en la repetida ley la realidad firme e inquebrantable de algunas de las tradicionales peticiones de cambio en la sociedad mexicana, que desde hacía tantos y tantos años reivindicaban.

La perversidad conservadora se ocupó desde entonces en conseguir la caída del general Álvarez, al que, era obvio, pretendían sustituir por Comonfort. Persiguiendo tan torva finalidad, lograron que se adhiriera a sus intereses otro personaje malicioso, esclavo de la ambición y repleto de dudosas intenciones, de nombre Manuel Doblado, que fue otro colaborador incondicional del general Álvarez y de Comonfort en el Plan de Ayutla, pero que ahora, ofuscado por sus malevolentes intereses, pretendía, a cualquier precio y sin el menor escrúpulo, apartar a Comonfort y Juárez, para hacerse con las riendas del poder. El general Doblado y su fiel adláter el general Miguel M. Echegaray se pronunciaron en Guanajato el 11 de diciembre de 1855 proclamando como presidente interino a Comonfort. *Los moderados* —dice Benito—, *en vez de unirse al Gobierno para destruir al nuevo cabecilla de los Retrógrados, le hicieron entender al señor* Álvarez *que él era la causa de aquel motín, porque la opinión pública le desechaba como gobernante, y como el ministro de la Guerra, que debería haber sido su principal valedor, hablaba también en estos mismos términos, tomó la patriótica decisión de entregar el mando al citado don* Ignacio Comonfort *en clase de sustituto...* Ello evidenciaba hasta qué punto había sido noble y sincero Álvarez al encabezar el movimiento revolucionario por amor a la patria y a una ideología, pero muy al margen de alimentar ambiciones personales de poder. Ese triste final del gabinete Álvarez y de su participación en el mismo como ministro de Justicia es relatado por Benito Juárez, en sus *Apuntes,* en los siguientes términos:

Luego que terminó la administración del señor Álvarez *con la separación de este jefe y con la renuncia de los que éramos sus ministros, el nuevo presidente organizó su gabinete nombrando como era natural para sus ministros a personas del círculo moderado. En honor a la verdad y de la justicia debe decirse que en ese círculo había no pocos hombres que, sólo por sus simpatías al general* Comonfort *o porque creían de buena fe que ese jefe era capaz de hacer el bien a su país, estaban unidos a él y eran calificados como moderados, pero en realidad eran partidarios decididos de la revolución progresista (...).*

La nueva Administración, en vista de la aceptación general que tuvo la ley de 23 de noviembre, se vio en la necesidad de sostenerla y llevarla a efecto. Se me invitó para que siguiera prestando mis servicios yendo a Oaxaca a restablecer el orden legal subvertido por las autoridades y guarnición que habían servido los intereses del general Santa Ana, *que para falsear la revolución habían secundado el plan del general* Carrera *y que, por último, se habían pronunciado contra la ley sobre administración de justicia que yo había publicado. Tanto por el interés que yo tenía en la subsistencia de esta ley, como porque una autoridad legítima me llamaba a su servicio, acepté sin vacilación el encargo que se me daba y a finales de diciembre salí de México con una corta fuerza que se puso a mis órdenes.*

La situación del Estado de Oaxaca cuando llegó Juárez para hacerse cargo del gobierno era alienante: TODA LA OBRA DE LA ANTERIOR ADMINISTRACIÓN HABÍA SIDO PRÁCTICAMENTE DESTRUIDA, pero Benito, con su euforia genética, con el talante arrollador que le caracterizaba, se dispuso a reconstruirla con más fe que antaño si cabía, con mayor ahínco, con férrea tenacidad. Lo primero que hizo fue reinstaurar su estimado Instituto de Ciencias y Artes, proyectándolo a igual categoría que anteriormente, la que tuvo antes de la nefasta intervención de Santa Ana; expandió el sistema democrático en la mayoría de los ámbitos y muy particularmente en el municipal; introdujo modificaciones sustanciales en la administración de justicia; reorganizó la hacienda; se sancionaron los códigos civil y criminal del Estado; se estableció el sufragio directo de todos los ciudadanos para la elección de gobernador del Estado, y cuando se alteró el orden en Oaxaca y Tehuantepec, Juárez lo restableció con mano firme, habilidad y energía.

Uno de los proyectos básicos del Plan de Ayutla era el de elaborar una nueva Constitución. El Congreso Constituyente se sentó a trabajar por primera vez el 14 de febrero de 1856, para continuar su labor hasta el 5 de febrero del año siguiente. La composición de este Congreso era en su mayor parte de diputados liberales *puros* o *moderados,* quienes *demostraron ser hombres de gran valor, a la vez que tenían el convencimiento de que los casi cincuenta años de luchas fatricidas por la libertad y la reforma debían ahora justificarse.* Es así que en los capítulos de la nueva Constitución dedicados a los derechos se incluyeron básicamente las llamadas *Ley Juárez* y *Ley Lerdo,* como algunas de las conquistas sustantivas de los años anteriores. La nueva Constitución, que fue promulgada el 5 de febrero de 1857, sería jurada por Comonfort, los diputados del Congreso y muchos funcionarios el día 8 de ese mismo mes.

En Oaxaca se publicó la Constitución Política del Estado el 15 de septiembre de 1857, procediéndose en aquel mes a la elección de gobernador del Estado según el nuevo procedimiento, resultando elegido Benito Juárez por un total de 100.336 sobre una participación estimada de 112.541.

Los acontecimientos que se vivían en la capital de la República parecían precipitarse. La desconfianza con que veían los liberales al presidente Comonfort pareció ser el detonante para que aquél invitara a Juárez a entrar en su nuevo Gobierno, en el que acababa de nombrar como ministro de Justicia a Manuel Ruiz, un típico *puro.* En la carta que dirigió al oaxaqueño y en la que inopinadamente le tuteaba, le pedía que aceptara el Ministerio de la Gobernación. Así se expresaba el presidente en la referida misiva:

«Me ayudarás también a calmar algunas pretensiones de la familia liberal, peligrosa en la crisis que atravesamos, y, por último, para que estés al corriente de la situación y el conocimiento de ella te facilite el despacho de los negocios para cuando, como presidente de la Suprema Corte, tengas que encargarte del mando su-

premo de la nación, porque así lo exija mi salud o alguna otra causa grave.»

Era de manifiesta evidencia que Comonfort estaba tentando a Benito con el ardid que representaba ser a la vez presidente de la Suprema Corte de Justicia y vicepresidente de la nación, pero no le ocultaba que al invitarle a formar parte de su gabinete lo hacía por su prestigio ante el partido liberal.

En el texto de respuesta Juárez le decía al presidente:

«Lo crítico de las circunstancias en que se encuentra la nación me obliga a aceptar dicho nombramiento, porque es un puesto de prueba, porque es un deber de todo ciudadano sacrificarse por el bien público y no esquivar sus servicios por insignificantes que sean cuando se los reclama el jefe del país y porque mis convicciones me colocan en la situación de cooperar de todas maneras al desarrollo de la gloriosa revolución de Ayutla. Sin estas consideraciones rehusaría al alto honor a que soy llamado por la bondad de S. E.»

Esta carta llevaba fecha de 24 de octubre; el 27 de dicho mes salía hacia la capital, arribando a ella el 2 de noviembre para hacerse cargo, de inmediato (al día siguiente, 3 de noviembre de 1857), del Ministerio de la Gobernación. Desde este momento los acontecimientos se precipitaron de forma tan vertiginosa que, la crisis que desde tiempo se venía incubando, estalló como lava que revienta el cráter de un volcán.

SÍNTESIS DE ESTA BREVE ETAPA POLÍTICA

El nuevo proyecto liberal de nación sostenido por el gabinete de Juan Álvarez implicaba la creación de un Estado republicano, federal, democrático y laico. Aspiraba a salir de la bancarrota quitando a la Iglesia su fuerza económica. En el aspecto social se pretendía acabar con los privilegios coloniales que subsistían, llevando a la sociedad a una igualdad jurídica. En materia cultural, el Estado tomaría en sus manos la educación para crear los cuadros necesarios que sirvieran de apoyo al nuevo proyecto nacional. De inmediato, una serie de leyes pusieron en práctica las nuevas ideas de gobierno, mientras se reunía el congreso con la intención de elaborar una nueva constitución.

La Ley Juárez, primera disposición del gobierno liberal, resultó la medida más importante durante la tarea del oaxaqueño como ministro de Justicia. Dictada el 23 de noviembre de 1855, fue un primer paso para lograr la igualdad legal de todos los mexicanos. Causó una fuerte reacción entre los conservadores y las autoridades eclesiásticas, que veían la amenaza que se avecinaba sobre sus privilegios antes intocables. En virtud de la Ley Juárez desaparecieron los tribunales especiales, excepción hecha de los eclesiásticos y militares, que, si bien permanecieron, fueron despojados de toda jurisdicción civil.

El propio Benito reconoció en sus memorias que la ley era incompleta y por tanto imperfecta; sin embargo, se instituyó como el primer paso para otras medidas que la complementarían. Ante los clericales, tal decisión se tradujo en un ataque frontal a sus intereses, por lo que surgió nuevamente entre sus filas el grito de «¡religión y fueros!», consigna utilizada por los simpatizantes de la Iglesia en 1833, cuando Valentín Gómez Farias, en combinación con José María Luis Mora, inició un primer intento de reforma de la sociedad mexicana.

Durante el gobierno de Álvarez surgieron fisuras dentro de su gabinete. Melchor Ocampo, hombre que defendía a capa y espada sus ideas, decía que la «revolución estaba entrando en el camino de las transacciones», ya que Ignacio Comonfort, entonces secretario de Guerra, quería que los clérigos y los militares tuvieran injerencia en los órganos gubernamentales. Ocampo no cedió y renunció, luego de quince días al frente del gabinete. Juárez, quien tampoco estaba de acuerdo con las ideas de Comonfort, resultó más pragmático y permaneció en su puesto. El resto de sus días, el oaxaqueño conservaría la entereza para asimilar los golpes de los avatares políticos; sabedor de que existe el momento propicio para actuar, tuvo la paciencia de esperarlo.

Cansado por las presiones y por el rechazo de los habitantes de Ciudad de México, que no le veían con buenos ojos por tener un ejército compuesto de tipos rudos y desarrapados —«los pintos»—, Álvarez terminó por renunciar a la presidencia.

Al salir el general, ocupó la primera magistratura del país Ignacio Comonfort, quien pretendió hacer un gobierno centralista en tanto se elaboraba la Constitución. Juárez fue invitado primero a desempeñar el cargo de secretario de Relaciones y después fue requerido nuevamente para gobernar su Estado natal.

Ante los intentos centralistas de Comonfort, varios gobernadores además de Juárez se opusieron enérgicamente. El presidente no insistió en su intento, evitando un enfrentamiento que hubiera debilitado la fuerza de los liberales en el poder. Por otra parte, continuó con la legislación reformista, propiciando que se dieran otras leyes tan importantes como la de Juárez, entre las que destacaron las llamadas Ley Lerdo, Ley Iglesias y Ley Lafragua. La primera de ellas fue muy discutida, porque, a pesar de que decretaba la desamortización de los bienes eclesiásticos, por otro lado permitía que se despojara de tierras a los campesinos y que se desarrollara el latifundismo. En tanto, la Ley Iglesias, dada por el ministro del mismo apellido, suprimió el dispendio de obvenciones parroquiales —diezmos y pago de servicios obligatorios—, mientras que la Ley Lafragua restauró la libertad de prensa, que el dictador Santa Ana había suprimido.

Capítulo IV

— Hombre de gobierno —

EL trimestre posterior a la llegada de Benito a la ciudad de México es, al mismo tiempo, de una incongruencia sin parangón, de un ritmo diabólico y de unas consecuencias imprevisibles, puesto que explota una de las etapas revolucionarias más extensas, sangrientas y absurdas de las tantas que ha conocido en el siglo XIX la República mexicana.

Mientras en las primeras semanas de su acceso al Gobierno, el oaxaqueño se enfrascaba en solucionar problemas de orden interior en Puebla y Oaxaca, amenazadas por el colectivo reaccionario, o en la propia capital de la República, donde la municipalidad rechazaba aceptar las disposiciones gubernativas, o tenía que perseguir a clérigos *desobedientes* o multar periódicos subversivos, el presidente Comonfort conspiraba para dar una sacudida al *timón* que frenara la puesta en marcha de la nueva Constitución. El día 1 de diciembre de 1857, Comonfort y Juárez juraron sus cargos de acuerdo con la Constitución.

El día 15 de diciembre el Congreso sabía que se acercaba un golpe de Estado y al siguiente amanecer uno de los conspiradores, J. J. Baz, anunció que aquella sesión sería la postrera; en efecto, el 17, en la madrugada, se pronunció en Tacubaya el general Félix M. Zuloaga, amigo y colega de Comonfort, al que se reconocía como presidente de la República, pero sin asumir la Constitución recién votada.

En las biografías de Juárez se menciona una anécdota, posiblemente apócrifa, según la cual, en la mañana del 15 de diciembre, Comonfort expuso a Benito su voluntad de incumplir la Constitución, dando paso al ejercicio de una dictadura liberal, en la que le invitaba a secundarle (*según la narración de* Payno, *Juárez no quiso adherirse al movimiento dictatorial, pero le deseó a* Comonfort *suerte en su EMPRESA, lo que no deja de ser tan incoherente como estúpido, máxime conociendo el talante del oaxaqueño*).

Al conocerse el pronunciamiento de Zuloaga, Comonfort aceptó a pies juntillas el plan de Tucubaya, haciendo encarcelar a Juárez, así como a Isidoro Olvera, presidente de la Cámara de Diputados, y otras personas. Ante la adhesión de numerosos militares que reaccionaron, como Miramón y Osollo, al plan de Zuloaga, Comonfort debió dar muestra de duda y debilidad, tratando de enmendar el yerro que había culminado. Es, obviamente, a causa de esa tesitura vacilante por parte de Comonfort por lo que el 11 de enero el general Zuloaga efectúa un nuevo pronunciamiento, destituyendo a Comonfort y encargándose del poder ejecutivo de la nación, mientras una junta de representantes le nombraba presidente interino. A causa de ello Comonfort puso en libertad a Juárez y demás políticos. Aún trató de combatir a Zuloaga, pero, tras nueve días de intercambiar tiros y ante la defección de sus propias tropas, el 21 de enero salió de la capital rumbo a Veracruz, desde donde embarcó hacia Estados Unidos el 7 de febrero. Por su parte, Benito Juárez, a quien un grupo de gobernadores de Estado consideraban el sucesor legítimo, junto con los jefes del partido liberal, huyó de la ciudad de México, estableciendo el Gobierno constitucional en Guanajuato el 19 de enero de 1858.

«Cuando, en una mañana glacial de enero del 58 —dice Justo Sierra—, **el general Comonfort, embozado en su capa militar, abandonaba la capital por las callejuelas malsanas del barrio de San Lázaro, el más impetuoso de los jóvenes caudillos reaccionarios (*Miramón*) deseaba vivamente capturarlo y lo habría hecho de no haberlo impedido con deprecaciones Zuloaga, *el compadre*, el pre-**

dilecto del presidente vencido, y el coronel Osollo, que le debía una persistente y casi misteriosa deferencia personal. Lo que Miramón quería era guardarlo en rehenes, sin duda, para obligar a la Coalición y al partido constitucionalista a confesarse *sin bandera.* Pocos peritos en achaques de derecho constitucional, y desconocedores a todo trance de la Constitución, dieron escasa importancia, en el caso de que la dieran, a la personalidad de Benito Juárez. Los que se informaron, y deben haber sido muy pocos, sugieren en voz baja que un letrado indio, que había sido gobernador de Oaxaca y que había dado la ley que restringió los fueros *(por donde era particularmente odioso al Ejército),* gracias a su estrecha unión con los *puros* había logrado que se le nombrase presidente de la Suprema Corte de Justicia y gracias a su amistad con Comonfort había sido encargado de la Gobernación. *¿Quién era? NADIE.»*

Este hombre, a quien nadie había prestado atención ni valorado lo suficiente, iba a constituirse en el núcleo aglutinante de la resistencia del liberalismo mexicano y el eje sobre el que rotaría la Reforma. Llegado el 19 de enero de 1858 a Guanajuato, constituyó su gobierno nombrando a Melchor Ocampo como ministro de Relaciones, Guerra e Interior; a Manuel Ruiz, ministro de Justicia; a Santos Degollado, ministro de Gobernación; a Guillermo Prieto, ministro de Hacienda; a León Guzmán, ministro de Fomento, mientras que el general Parrodi era nombrado general en jefe de las Fuerzas Armadas.

El mismo día 19 de enero, Juárez lanzó un manifiesto al país en el que defendía la Constitución, atacando a quienes habían intentado mancillarla, al tiempo que trataba de animar a todos, aun considerando el extremo peligroso en que se encontraba la República:

> *Mexicanos: El Gobierno Constitucional de la República, cuya marcha fue interrumpida por la defección del que fue depositario del poder supremo,* queda restablecido. *La Carta Fundamental del país ha recibido una nueva sanción, tan explícita y elocuente que sólo podrán desconocerla los que voluntariamente cierren los ojos a la evidencia de los hechos.*

Al crear su gobierno y redactar el manifiesto que se acaba de transcribir, Juárez contaba con todo el entusiasmo y capacidad moral que pueda imaginarse, pero *NO TENÍA HACIENDA NI EJÉRCITO Y SÓLO LO DEFENDÍA* **LA LEGALIDAD:** *LA CONSTITUCIÓN.* Por el contrario, toda la fuerza y el vil mental estaban de parte de los rebeldes: Zuloaga era un *militar* más bien mediocre, y como hombre no pasaba tampoco de ser una medianía, no siendo mejores que él ni Osollo ni Miramón, pero contaban con la adhesión a ultranza de la Iglesia y de los opulentos terratenientes, contando, era ovio, con los fusiles y cañones del Ejército, amén de su propia e insaciable codicia. Por eso iniciaron de inmediato la persecución del Gobierno Juárez, tratando de localizar al general Parrodi, a fin de entablar un combate del que tenían la certeza de emerger triunfantes. Esos movimientos obligaron a Benito a evacuar Guanajuato, dirigiéndose a Guadalajara con tan sólo tres mil hombres. Es harto conocido el comentario que hizo el oaxaqueño a Prieto cuando conoció la derrota de las tropa de Parrodi (10 de marzo en los campos de Salamanca): *Guillermo, ha perdido una pluma nuestro gallo.* Sin inmutarse ni alterar su compostura de hábito, Benito decidió lanzar un manifiesto a la nación para dar confianza al pueblo.

El 13 de marzo se supo que el coronel Antonio Landa se había sublevado. *El señor Juárez dio orden al señor Núñez de que fuera a enterarse de lo que sucedía, y se volvió a nosotros continuando la polémica comenzada* (Prieto). Sin embargo, el hecho era grave, gravísimo, y estuvo en un tris de costarle la vida a Benito, porque los soldados de Landa, al grito de *¡Viva el Ejército!, ¡Viva la Iglesia!,* asaltaron el edificio gubernamental. Juárez, sus ministros y varios funcionarios, hasta un total de setenta, fueron retenidos en una estancia. En medio del caos y la confusión creada, Prieto pudo huir, pero regresó por propia voluntad allí donde se hallaban Juárez, Ocampo y los demás. No existen datos fidedignos que permitan aseverar con certeza si fue ese mismo día, o el siguiente, cuando las tropas federales invadieron el palacio del Gobierno, con lo que los amotinados, suponiéndose víctimas de su traición, decidieron matar a los prisioneros. El relato de los acontecimientos, según los cuenta Guillermo Prieto, uno de los protagonistas destacados del trágico evento, tiene su interés:

«Una voz tremenda, salida de una cara que desapareció como una visión, gritó: *¡Vienen a fusilarnos!* Los presos se refugiaron en la estancia donde se encontraba el señor Juárez; unos se arrimaron a las paredes, los otros como que querían parapetarse con las puertas y debajo de las mesas... El señor Juárez se avanzó hacia la puerta, estando yo a su espalda. Los soldados irrumpieron violentamente en el salón, arrollándolo todo, caladas las bayonetas... Estaban al mando de un joven moreno con ojos negrísimos: era Peraza, que corría de un extremo a otro revólver en mano. Y formaba aquella vanguardia Filomeno Bravo, gobernador de Colima después. La terrible columna, con sus armas cargadas, listas para disparar, hizo alto frente a la puerta del cuarto... Y sin más espera, y sin saber quién daba las voces de mando, oímos: *¡Al hombro! ¡Presenten armas! ¡Preparen armas! ¡Apunten...!* Como tengo dicho, Juárez estaba en la puerta del cuarto; a la voz de *¡Apunten!* se asió del pestillo de la puerta, hizo hacia atrás la cabeza y esperó... Los rostros feroces de los soldados, su ademán, la conmoción misma, lo que yo estimaba a Benito... yo no sé... se apoderó de mí algo de vértigo o de cosa que soy incapaz de explicar... Rápido como el pensamiento, tomé al señor Juárez de la ropa, lo pasé a mi espalda, lo cubrí con mi cuerpo, abrí mis brazos... y ahogando la voz de *¡Fuego!* que tronaba en aquel instante, grité: *¡Levanten esas armas! ¡Levanten esas armas! ¡Los valientes no asesinan!...* Y hablé, hablé... Yo no sé qué hablaba en mí que me ponía alto, enfático y poderoso, y veía, entre una nube de sangre, muy pequeño todo lo que me rodeaba; sentía que lo subyugaba, que desbarataba el peligro, que lo tenía a mis pies... Conforme mi voz iba sonando, la belicosa actitud de los soldados se transformaba... Entonces vitoreé a Jalisco. Los soldados LLORABAN, protestando que nos matarían y así se retiraron como por encanto, por arte de magia... Bravo se puso de nuestro lado. Benito se abrazó a mí... mis compañeros me rodeaban, llamándome *su salvador y el salvador de la Reforma...* Mi corazón estalló en una tempestad de lágrimas...».

A la conclusión de estos acontecimientos, en los que debe destacarse, no sólo la genialidad y presencia de ánimo de Prieto, sino el dignísimo saber estar de Juárez, encarando una muerte inminente con la cerviz alta y el gesto casi desafiante, aunque ajeno a la resignación..., al terminar, decíamos, se supo que Parrodi y su ejército se aproximaban a Guadalajara, con lo que Landa y sus hombres aceptaron una *entente* en virtud de la cual dejarían libres a los miembros del Gobierno marchando a unirse a las fuerzas de Osollo, mientras Juárez y sus ministros se refugiaban en la casa del vicecónsul de Francia.

Finalmente, el 17 se pudo lanzar el manifiesto a la nación, al tiempo que llegaban a Guadalajara las desmoralizadas huestes de Parrodi. Se decidió abandonar Guadalajara, con lo que no quedaba más opción que la retirada hacia Colima. El día 20, a las tres y media de la madrugada, el Gobierno salía con una escolta de setenta y cinco hombres de infantería y treinta de caballería. Cuando alcanzaron Santa Ana Acatlán, fueron informados de que Landa, con cuatrocientos efectivos humanos y dos piezas de artillería, les pisaba los talones. Y así era. Poco después llegarían Landa y los suyos, entablándose una lucha tan desigual, que el propio Juárez dejó en libertad a sus ministros y resto del séquito para que trataran de huir. Pero nadie consintió en dejar solo al presidente en tales circunstancias, por lo que decidieron aprovechar la próxima noche para zafarse al asedio del que estaban siendo víctimas, intento que coronaron exitosamente.

El grupo formado por Benito Juárez y su gabinete, amigos y demás funcionarios, caminó toda la noche y en la madrugada del 21 de marzo, que era el cincuenta y dos aniversario del presidente, arribaron a una hacienda donde un grupo de indios les recibió con expresiva cordialidad, gritando: *¡Viva el Presidente! ¡Viva Juárez!* Por la tarde siguieron la marcha atravesando montañas y valles que iban siendo cada vez de clima más cálido y asfixiante, con vegetación genuinamente tropical. Pasaron por Sayula y Zapotlán para llegar finalmente a Colima, el 25 de marzo. Allí fueron puestos al corriente de que Parrodi había rendido sus armas con el resto de la fuerzas leales, por lo que en aquel momento podía decirse que el ejército de la República no contaba con más de trescientos cincuenta soldados y dos piezas de artillería; en tales condiciones, Juárez nombró a Degollado ministro de la Guerra y comandante en jefe del ejército.

Hallándose en Colima, Benito recibió una invitación del gobernador de Veracruz, Manuel Gutiérrez Zamora, para trasladar a aquella ciudad el Gobierno de la República, y pese a que el ambiente en Colima era magnífico, el hecho de que Veracruz fuera una ciudad donde el número de liberales era grande, que dispusiera de una rica Aduana y que sus comunicaciones con el exterior fueran toda una garantía, Juárez decidió aceptar la propuesta de Gutiérrez Zamora, no sin antes encargar a Degollado, Iniesta y otros militares que organizaran en Colima un ejército tan potente y numeroso como les fuera posible.

El viaje era largo y complicado, iniciándose el 8 de abril para llegar al día siguiente a Manzanillo, Juárez y sus compañeros. Prieto escribía veintiún años después, haciendo referencia a las fechas transcurridas en Manzanillo:

«Era por aquel entonces, Manzanillo, una playa casi desértica, en donde la fiebre se enseñoreaba; tenía el apodo de centro mercantil una tienda de lona, habitada por unos alemanes que no interrumpían su eterno sueño sino para agotar toneladas de cerveza o hacer sus excursiones a la Aduana.»

El 11 de abril Juárez y sus adláteres embarcaron en el barco estadounidense *John L. Stephens,* con destino a Panamá, aunque haciendo escala en Acapulco. En esta travesía, varios pasajeros simpatizantes de don Benito lo ofrecieron un banquete en su honor. El 19 desembarcaron en Panamá y ese mismo día se trasladaron al vapor *Granada,* que les condujo hasta La Habana, donde pasaron al *Philadelphia,* que tenía por destino el puerto de Nueva Orleáns, adonde arribaron el 28 de abril. Por último, el 1 de mayo, embarcaron en el barco *Tennessee,* que les llevaría hasta Veracruz, llegando a esa ciudad el 4 del mismo mes, casi treinta días después de haber partido de Colima.

Los veintiún cañonazos disparados desde el castillo de San Juan de Ulúa lo fueron en su honor, como saludo al presidente y no en su contra, ni en un intento de asesinarle a él ni a los miembros de su gabinete. Por el momento, al menos, tenía una capital (Smart).

Aunque la vida entera de Benito Juárez se asemeja a un bloque de granito cincelado a escarpa y martillo en grades sectores o zonas, que se adivinan desde lontananza como luces y/o sombras en un hipotético universo vacío, hay momentos en la existencia del genial oaxaqueño que magnifican en tamaño, en claroscuros, a todos los demás, ya sean de antes o después. Uno de esos momentos estelares es el que recibe el calificativo de *Guerra de la Reforma,* en el que, como una noria girando alrededor de su eje, México penetra en la modernidad abandonando arcaicas actitudes y estilos de un pasado zozobrante, tenebroso... Quien maneja los resortes de esa rueda gigantesca es Benito, aquel pastor de Oaxaca que, cuando doceañero, no tenía ni idea de cómo pronunciar una sílaba en castellano. ¡Ironías del destino, debemos suponer!

La conjugación que hizo el país en presente de indicativo fue una guerra civil: el pasado era la rémora pegajosa, impenitente e impertinente, de una intolerante sociedad más radical que colonial, aferrada con uñas y dientes a sus tradiciones y a su despótico y dictatorial *modus operandi;* lo que se abría frente los ojos entrecerrados, entredormidos, de México era el azul y despejado horizonte de un país nuevo, distinto, libre, democrático, en el que la Constitución como base jurídica fundamental iba a ordenar el futuro sociopolítico de la comunidad.

Cuando Juárez y los suyos viven y soportan el interminable periplo marítimo al que nos hemos referido, desde Manzanillo a Veracruz en abril y primeras fechas de mayo de 1858, *una parte del territorio de México estaba ocupada por los conservadores, mientras que otra prestaba fidelidad inquebrantable a los liberales. Los conservadores se mantenían en el centro de la nación, expandiéndose por el oriente hasta Córdoba y Jalapa, en el Estado de Veracruz. Hacia el norte, San Luis Potosí y Zacatecas, eran de continuo disputadas, perteneciendo alternativamente a los radicales o a los juaristas. Por el noroeste, el Estado de Sinaloa marcaba la frontera entre ambos bandos en lucha. El feudo principal de los conservadores estaba en las ciudades de México,*

Puebla, Tlaxcala, Toluca, Guanajuato, Querétaro y todo el territorio del Estado de Nayarit. Los dogmáticos también controlaban en Durango y hacia el norte, en Tabasco, y hacia el sur en Yucatán. En el Estado de Jalisco acampaban liberales y conservadores, y su capital, Guadalajara, fue teatro de continuas escaramuzas y batallas y, según el desenlace de las mismas, unas veces era ocupada por los juaristas y otras por los reaccionarios (Foix).

El Estado de Veracruz, del que era gobernador Manuel Gutiérrez Zamora, se había manifestado desde siempre como un oasis del país específicamente proclive al espíritu liberal. Pero aun así, Gutiérrez, posiblemente embaucado por Comonfort acerca de sus verdaderas intenciones, se unió en un primer instante al plan de Tacubaya, pero, advertido por el general Ignacio de la Llave y otros amigos, se dio cuenta de su error y después del 29 de diciembre Veracruz retornó al orden constitucional. *Al despronunciarse Veracruz el 30 de diciembre, empezó a derruirse el edificio improvisado por* Comonfort, *pues inmediatamente siguieron el ejemplo las fortalezas de Ulúa y de Perote y la ciudad de Jalapa, del mismo Estado, y Tlaxcala. Los estados del norte y de occidente, exceptuando San Luis Potosí, hicieron otro tanto* (Zayas). Por otra parte Manuel Gutiérrez Zamora, además de gobernador, era el coronel en jefe de la Guardia Nacional de Veracruz, cuerpo armado que profesaba un amor rayano en el fanatismo hacia su jefe, siendo por ello, y por su capacidad de maniobra militar, uno de los más apetecidos por todo el mundo. La decisión de Benito de trasladar el Gobierno a la ciudad de Veracruz fue recibida con entusiasmo por el pueblo, entusiasmo que, exaltado hasta la indescriptibilidad, recibió a Juárez el 4 de mayo, día en que, si bien el *Tennessee* se avistó a las tres de la tarde, no pudo fondear en el castillo de San Juan de Ulúa hasta bien entrada la noche. *Desembarcó Juárez en olor de multitud, en medio del estruendo de los cañones, del clamor inmenso de toda una población; sí, DE TODA UNA POBLACIÓN, porque allí estaban mezcladas todas las clases sociales habidas, todos los sexos, todas las edades* (Zayas)... Tan entusiasta fue el recibimiento que el estoico oaxaqueño apellidado Juárez se emocionó como nunca y con gran dificultad pudo contener las lágrimas que amenazaban con crepitar en sus ojos. Después, la comitiva se encaminó hacia la iglesia parroquial, regentaba por fray Cristóbal Noriega, hombre de gran valor y excelsas virtudes, defensor a ultranza de la causa liberal, donde se cantó un *Te Deum* en acción de gracias y en honor al presidente.

Coincidiendo con la llegada de Benito Juárez y su Gobierno a Veracruz, hizo acto de presencia en el lugar la esposa del presidente y sus ocho hijos; Margarita, que contaba en aquel entonces treinta y dos primaveras, había salido de Oaxaca un mes antes y, sirviéndose de caminos apenas transitados, para evitar peligros y las dificultades que pudieran crearle los enemigos de su marido, atravesó una región tremendamente quebrada de casi quinientos kilómetros hasta alcanzar la ciudad de Veracruz. Todos los inconvenientes habían sido vencidos y allí se encontraba para unirse a Benito y ofrecerle todo su amor y apoyo en circunstancias tan adversas, apuradas y gravísimas.

El resto de 1858 y buena parte del año siguiente, en el que se desarrolló la guerra civil en muy distintos frentes, fue un período en que las fuerzas reaccionarias acumularon importantes victorias; tras el fallecimiento del general Luis Osollo en San Luis Potosí (18 de junio de 1858), la primera figura militar del entorno conservador quedó notablemente consolidada con el triunfo de la batalla de Ahualulco de los Pinos, el 29 de septiembre de 1858. Justo Sierra escribe al respecto:

«... para asegurar la victoria, para garantizar su puesto, Miramón necesitaba con la máxima urgencia ir sobre los fronterizos y, recogiendo a Márquez y sus hombres, buscar a Vidaurri y machacarlo. Y lo hizo con el clásico arrojo que ponía en práctica en todas y cada una de sus arriesgadas y temerarias resoluciones. Sería exagerado decir que Miramón era un militar genial; lo que realmente tenía, a sus veintiséis años, era un conocimiento extraordinario de las cualidades y defectos del soldado mexicano, como que desde niño había convivido en contacto con él (...). En la batalla de Ahualulco de los Pinos (a corta distancia de San Luis Potosí) en donde había tomado posiciones el ejército constitucionalista, que eran muy buenas, todo dependió de la excelente disciplina de las

tropas reaccionarias que, ejecutando con precisión admirable el movimiento envolvente que dirigió Márquez, obligó a los fronterizos a debilitar su centro, sobre el que se cerró ferozmente Miramón. La derrota fue tan espectacular como completa y todo el sector que habían conquistado en su avance los jefes de Vidaurri, quedó perdido para ellos. Márquez se atribuyó la victoria después: *quien dispone, quien secunda, quien decide es el que gana.* Miramón triunfó en Ahualulco y el prestigio personal que adquirió con esta hazaña fue inmenso.»

En algún momento del desarrollo de estos acontecimientos la única ciudad que seguía en manos de los constitucionalistas en toda la República era Veracruz, urbe que nunca había de caer en las garras de los reaccionarios, razón por la que se había convertido en un auténtico *oscuro objeto de deseo* por parte de aquéllos, siendo un deseo obsesivo, psicótico, el hecho de poder conquistarla. El gobernador, Manuel Gutiérrez Zamora, se preocupó, por eso, de reforzar los sistemas defensivos del lugar, de manera que, además de la línea de baluartes de la época colonial, se construyeron una serie de fortines y un foso que circundó la ciudad; por otra parte, se construyeron unas lanchas cañoneras, con las que se pretendía aumentar y perfeccionar el conjunto del fuego de artillería de Veracruz. *El 19 de marzo de 1859 apareció la figura de Miramón ante Veracruz con una fuerza de caballería. Se dispararon cuatro cañonazos desde la plaza y Miramón se esfumó inmediatamente. Lo que pudo ver desde los médanos le convenció de que eran exiguos los elementos que llevaba y ofreció volver cuando hubiese reunido los necesarios* (Zayas). De todas formas, tan arriesgada operación fue un auténtico fracaso y el mismo Miramón deseó vengarse del ridículo en que había dejado al ejército en aquella circunstancia concreta.

La oportunidad se presentó no mucho más tarde, ya que Márquez venció a Degollado en Tacubaya el 11 de abril, haciendo prisionero a todo su cuerpo de ejército. Miramón, al llegar a la ciudad, ordenó a Márquez que fusilara a los jefes y oficiales prisioneros, pero éste no sólo cumplió la orden, sino que *por propia iniciativa hizo mucho más: mandó fusilar hasta a los estudiantes de medicina sospechosos de haber ayudado a los heridos de ambos bandos, sin discriminación. Ordenó matar a paisanos e incluso decretó el asesinato de niños. Por este acto de barbarie (...) apodaron a* Márquez *el Tigre de Tacubaya* (Smart).

Al mismo tiempo que se estaba desarrollando la guerra civil, una guerra política no menos importante y vital se estaba gestando e iba a desarrollarse desde julio de 1859 hasta febrero de 1861. Nos estamos refiriendo a la promulgación de la serie de decretos que se conoce con el nombre genérico de la Reforma, y que no viene a ser otra cosa que la continuación de la *Ley Juárez* y la *Ley Lerdo,* las cuales pueden considerarse, a la vez, como el punto de partida de la guerra misma. En efecto, aquellas leyes, al incorporarse a la Constitución de 1857, habían empujado a Comonfort, con sus dudas y ambiciones personales, a provocar el golpe de Estado del que se derivó el enfrentamiento bélico y, debido a ello, en el área liberal había muchos que deseaban que se prosiguiese por el camino de la Reforma de manera inmediata, mientra que otros, bastantes también, creían que de ese modo se impediría el posible apaciguamiento del enemigo. *Desde el punto de vista de Juárez, no obstante, era una lucha por la Constitución, la legalidad y el orden, cosas todas ellas que debían basarse, tan pronto como fuera posible, en la voluntad soberana de la mayoría del pueblo y de sus representantes, y no una guerra contra la Iglesia.* Por todo ello la opinión del oaxaqueño y de Ocampo, respecto de las necesarias reformas, era más bien dubitativa; finalmente, Juárez tomó la disciplina de seguir adelante asentándose en el principio de que *mejor una guerra que dos,* queriendo decir que, ya que estaban en guerra por defender e implantar la Constitución, más valía agregar a ese motivo u objeto el de la Reforma. *La actuación de Juárez al promulgar estos decretos guardaba un perfecto paralelismo con la de Abraham Lincoln tres años más tarde, al promulgar la Proclama de Emancipación* (Smart).

Don Benito publicó el 7 de julio de 1859 un manifiesto en el que se anunciaba la promulgación de las *Leyes de reforma* y, por pura coincidencia o con toda la intención, el 12 de ese mismo mes Miramón ofrecía otro manifiesto en el que se exponía su programa de política reaccionaria; ambos documentos sirvieron, en cierto modo, para clarificar las posturas ideológicas de ambos *líderes,* pero al mismo tiempo evidenciaban y ponían de manifiesto la diferencia de *calidad* que existía entre los dos dirigentes: estaba diáfano que Miramón se mostraba inseguro, vacilante y dubitativo en muchas de las cuestiones planteadas, mientras que para Juárez tanto los contenidos ideológicos, como las leyes y los procedimientos políticos eran de una transparencia flagrante.

El 12 de julio, coincidiendo con el manifiesto de Miramón, se publicó la primera ley de la serie, aquella que hacía referencia a la nacionalización de los bienes eclesiásticos, excepto los edificios de los templos y escuelas y su contenido. *Esto contribuía en gran manera a corregir la defectuosa y destructiva* Ley Lerdo, *pues iba más allá de la venta de las tierras de la Iglesia y distinguía entre éstas y las que los indios disfrutaban en régimen comunal. Esta acción hizo que se aflojara la cuerda con que la Iglesia estrangulaba la economía* (Smart). El 23 de julio de 1859 se promulgó la ley sobre matrimonio civil, y el 28, un decreto que establecía el registro civil; con ello se daba validez legal a los actos —bodas y bautizos— celebrados ante el juez. La casualidad vino a hacer que, como en otras circunstancias, el propio Benito diera buen ejemplo ante sus conciudadanos porque, efectivamente, poco después de publicarse este decreto, nació una hija del oaxaqueño —Francisca— y éste se apresuró a inscribirla en el registro civil, del que fue la primera persona censada: **actualmente se conserva este libro, lo mismo que si de una reliquia se tratara, en el Ayuntamiento.** La ley sobre el matrimonio civil cabe muy en lo posible que fuera redactada por Melchor Ocampo, quien *educaba esmeradamente a sus cuatro hijas, pese a no estar casado (...), y es seguro que escribió* La Epístola de Melchor Ocampo, *una noble exhortación a los recién desposados a la mutua comprensión, tolerancia y lealtad y que, de acuerdo con la ley, se lee en la ceremonia civil de cuantas bodas se celebran en México y otros países latinoamericanos* (Smart). El 31 de julio se promulgó un decreto por el que quedaban secularizados los cementerios, campos santos, necrópolis y cualquier otro lugar utilizado para enterrar a los difuntos, y el 11 de agosto otro decreto señalaba cuáles serían las fechas que se considerarían festivas y cuáles no; el más importante de estos decretos se circunscribe a uno que por sí solo bastaba para labrar la grandeza de don Benito:

estamos aludiendo, es obvio, al que estableció la independencia y separación Iglesia-Estado, garantizando, además, la libertad de cultos. La opinión del propio Juárez acerca de estos decretos queda expresada en una carta del presidente a su amigo Santacilía, en Nueva Orleáns, en la que escribe:

«Tengo el gusto de remitirle el decreto que acabo de expedir. Lo más importante que contiene, como verá usted, es la independencia absoluta del poder civil y la libertad religiosa. Para mí, estos puntos eran los capitales que se debían conquistar en esta revolución, y si logramos el triunfo, nos quedará el orgullo de haber hecho un bien a mi país y a la humanidad.»

México, ya lo dijo en su momento el mismo Juárez, estaría vinculado, siempre, de manera directa o indirecta, política y socialmente, al devenir de los Estados Unidos de América. Y la conflictiva etapa mexicana que estamos narrando en este capítulo no iba a ser precisamente la excepción que confirmara esa regla no escrita de *entente* (más *cordial* en unos momentos y menos en otros) méxicano-americana.

De un análisis minucioso de los documentos y actividades de los políticos estadounidenses de la época, y en especial del presidente de los Estados Unidos, James Buchanan, y de algunos de sus consejeros, puede deducirse que la intención de éstos era, obviamente, la de ampliar sus territorios del oeste a costa de México, muy en especial hacia Sinaloa y la Baja California, pero, así mismo, se puede comprobar que la actitud de los mexicanos era la de obtener ayuda a cambio de ciertas concesiones, pero siempre bajo la condición de no enajenar ni una parte, por pequeña que fuera, del suelo nacional. Tras una primera gestión desarrollada por el embajador Churchwell, cerca del Gobierno Juárez, su sucesor, Robert Milligan McLane, llegaría a Veracruz el 1 de abril de 1859 y, tras reconocer al gobierno liberal, una semana después de su llegada se iniciaron las negociaciones que habrían de culminar en el *Tratado McLane-Ocampo;* en estas negociaciones, Ocampo hizo una propuesta realmente extraordinaria (18 de junio): se trataba de una alianza entre México y Estados Unidos, propuesta que quizá estuvo concebida por Lerdo de Tejada y muy probablemente apoyada por el mismo Juárez, y que de algún modo pasaría al texto final.

Por este Tratado *se cedía a Estados Unidos a perpetuidad el derecho a tránsito por el istmo de Tehuantepec. Se regulaban las cuestiones comerciales y aduaneras. En caso de emergencia, los Estados Unidos podían defender las rutas sobre las que se les concedía derecho de tránsito sin permiso del Gobierno mexicano. Derechos similares fueron concedidos a los americanos en el Norte, entre Nogales y guaymas, en el golfo de California y entre Matamoros y Mazatlán, también el Golfo. Se daba a los súbditos norteamericanos residentes en México el derecho a practicar libremente sus credos religiosos, debiendo pagar Estados Unidos cuatro millones de dólares por estas concesiones, pero dos de ellos quedaban en su poder para pagar las reclamaciones de ciudadanos estadounidenses contra el Gobierno de la República. En virtud del artículo primero de la Convención anexa al Tratado, cada uno de los dos países se obligaba a ayudar al otro en el caso de que uno de ellos no pudiera por sí mismo ejecutar lo pactado o mantener el orden y seguridad. Esta Convención era prácticamente una copia literal del tratado de alianza propuesto por Ocampo y por Lerdo* (Smart).

El Senado americano rechazó por tres veces la legalización del Tratado, por temor a que los Estados del Sur (incipientemente beligerantes ya), esclavistas y muy críticos con la política de Washington, ampliaran su poder de ese modo, y temiendo así mismo la posibilidad más que factible de verse involucrados en guerras ajenas a sus intereses y no deseadas, por cuestiones irrelevantes que motivaran unos aliados indeseables; los liberales mexicanos, pese a su reiterada insistencia, comprendieron finalmente que aquel Tratado planteaba, en verdad, muchos más peligros que aseguraban, como sin duda pretendía, su victoria sobre los reaccionarios.

El segundo de los episodios de la vida política de Juárez, que fue utilizado por sus enemigos contra él, fue el conocido acto de Antón Lizardo: corrían los meses finales de 1859 cuando Miramón pensó emprender una nueva campaña contra Veracruz, en un momento en que las cosas parecían marchar viento en popa —en sus diversos frentes— para los intereses de la República. Para garantizar su éxito,

Miramón adquirió dos buques mercantes en La Habana, llamados *Marqués de La Habana* y *General Miramón*, a los que armó para servir como barcos de guerra. El intolerante, que había salido de la capital de la República el día 8 de febrero, llegaría a Jalapa el 15 del mismo mes y a Medellín el 29, donde iba a establecer su cuartel general, organizando un ejército compuesto por dos divisiones de infantería y una de caballería, con un total de cinco mil hombres. La plaza de Veracruz estaba defendida por un ejército equivalente con más de ciento cuarenta y ocho cañones. Miramón, tras la fracasada experiencia anterior, era consciente de que tenía que tomar la ciudad en las dos o tres primeras semanas, ya que de otra forma las fiebres y los mosquitos iban a diezmar su continente humano, haciendo estéril el asedio. Para completar éste por el mar se había ordenado a Tomás Marín que acudiera a Veracruz con los dos navíos armados, el *Marqués de La Habana* y el *General Miramón*. Por su parte, el Gobierno de Juárez había comprado, o estaba en tratos para su adquisición, dos vapores: *Wave* e *Indianola*. Coincidiendo con la llegada de Miramón a Veracruz, se dio orden para que la flotilla de La Habana saliera de aquel puerto con rumbo, así mismo, a Veracruz; el 6 de marzo se hallaban a la vista de esta ciudad y desde la fortaleza de San Juan de Ulúa se *les pidió bandera, pues no la llevaban, sin que los barcos aludidos atendieran la demanda y continuaron hacia Antón Lizardo, donde echaron el ancla.*

Con anterioridad, el Gobierno juarista había comunicado al estadounidense que tales barcos había que considerarlos como *piratas*, dado que no se acogían a ningún pabellón y, aunque es dudoso que tal interpretación fuera correcta desde la perspectiva estrictamente jurídica, lo cierto es que tanto los mexicanos de Veracruz como Mr. Jarvis, jefe de la escuadrilla norteamericana que se encontraba en la bahía de esa ciudad, entendieron que tales navíos eran *piratas* y de este modo había que *tratarlos*. Al paso de los navíos de Marín, salieron en su persecución la corbeta *Saratoga* de la marina estadounidense y los vapores *Indianola* y *Wave;* la narración de los siguientes hachos es confusa y contradictoria, pues existen diferentes versiones, con la posibilidad de que ninguna de ellas reproduzca con exactitud la realidad de los mismos. Al parecer, los perseguidores llegaron a Antón Lizardo hacia la medianoche; el comandante Turner, a quien había enviado el comandante de la escuadrilla norteamericana, Jarvis, informaba así acerca de lo acaecido:

> «Cuando había llegado casi junto a los dos buques y el remolque que estaba desarmado, los dos pequeños vapores que estaban delante de mi barco informaron que el mayor de los dos navíos (el *Miramón*) estaba en marcha y trataba de escapar a través del pasaje del Sur. Les devolví el saludo y les ordené le persiguieran y, si fuera posible, que saltaran sobre su cubierta (...).
>
> Una vez estuvieron junto a él, lo que fue sólo unos pocos minutos y con gran sorpresa por mi parte, abrieron fuego de cañón y fusil sobre ellos; se me comunicó que otro barco (el *Marqués de La Habana*) estaba soltando amarras. Inmediatamente le disparé una andanada, pues no tenía duda alguna de que estaba en complicidad y a las órdenes del navío anterior. Temí que acudiera en su ayuda, en cuyo caso me hubiera visto obligado a dar un toque de llamada a mis barcos, o a ser testigo de su captura o destrucción y, puesto que había tenido la osadía de disparar sobre mí sin provocación previa, estaba dispuesto a capturarlo si podía. Tan pronto como hice fuego, izó la bandera española.»

La narración de Turner prosigue con todo lujo de detalles, recreándose incluso en ellos, precisando todos los aspectos de la acción naval por la cual los buques de Marín, al servicio de Miramón, quedaron anulados. La batalla, que duró entre treinta y cuarenta y cinco minutos, fue lo que tenía que ser: una acción bien controlada por un marino profesional. Jarvis, en su informe al secretario de Marina de Estados Unidos, dijo que no veía la *posibilidad de que Turner pudiera actuar de modo diferente a como lo había hecho,* por lo que, en definitiva, tanto aquél como éste, alcanzaron honores y un alto rango en la marina.

Era inevitable, y así ocurrió, que hubiera quejas y protestas por parte de la diplomacia española y francesa con respecto a esta acción. Por otra parte, el Tribunal de Nueva Orleáns decidió el 28 de junio que Marín y sus hombres y barcos no eran *piratas,* ordenando su libertad. Esta sentencia sería confirmada por el Tribunal Supremo de

Estados Unidos en 1870. Por último, debe mencionarse que, partiendo de esos hechos, *se han forjado numerosas leyendas; hagamos caso omiso de ellas y aun así veremos que el incidente ha sido calificado como ataque, como defensa, y con recriminación. Ha sido conceptuado como ataque, sobre la base de que el incidente no fue sino la última fase del diabólico plan de* Buchanan *y* McLane *para lograr el control de México; que Juárez y sus ministros eran sus instrumentos conscientes, voluntarios y traidores, y que Jarvis y Turner eran únicamente unos intrusos que, de hecho, dieron la victoria a Juárez* (Smart).

Pero, siguiendo la cronología de la guerra civil mexicana, digamos que, después de los intentos por hallar una fórmula de paz, Miramón, tras bombardear tenazmente la ciudad de Veracruz, levantó el campo en la madrugada del 21 de marzo; a partir de este nuevo (y definitivo) fracaso, puede decirse que se había entrado en el tramo final de la fratricida y sangrienta contienda. El primero de noviembre Zaragoza derrotaba a Márquez en Zapotlanejo; el 3 de ese mismo mes González Ortega entraba en Guadalajara y el mismo González, el 22 de diciembre, vencía a Miramón en la batalla de Calpulalpam, entrando victorioso, luego, en la capital de la República en la madrugada del 25 de diciembre.

El día 23 de diciembre se hallaba Juárez con su familia y otros miembros del Gobierno en el Teatro Principal de Veracruz, asistiendo a la representación de la ópera *I Puritani,* de Bellini, cuando de pronto llegó un mensajero que en veintiocho horas había hecho camino desde Calpulalpam hasta Veracruz para comunicar la victoria a don Benito. Cuando el presidente, puesto en pie, leyó desde el palco el comunicado del general González Ortega, todos los asistentes, puestos en pie, prorrumpieron en vivas y vítores a Juárez. Se cantó *La Marsellesa* y el delirio explotó de uno a otro confín de Veracruz.

La guerra ya era historia y la Reforma se había instaurado definitivamente en México.

RESUMEN DE ESTA SECUENCIA POLÍTICA

La vida política de Juárez en el ámbito nacional tuvo cuatro etapas fundamentales. En la primera, que va de los años 1855 a 1858, participó en el movimiento que derrocó al general Santa Ana, siendo secretario de Estado, y contribuyó al triunfo de la Revolución; más tarde fue presidente de la Suprema Corte de Justicia.

En los años de 1858 a 1861, después de elaborada la nueva Constitución liberal de 1857, el jefe del ejecutivo dio un golpe de Estado y desconoció dicha Constitución, al igual que los grupos conservadores que organizaron su propio gobierno. Como resultado estalló la guerra fratricida más grave del siglo XIX mexicano, conocida como Guerra de Reforma o de los Tres Años. En este tiempo, Juárez se hizo cargo del ejecutivo según lo establecía la Constitución mencionada, manteniendo la bandera de la legalidad y llevando adelante la reforma liberal. En este período, el presidente Juárez tuvo que establecer su gobierno en el puerto de Veracruz, en el golfo de México, después de haber estado a punto de ser asesinado en Guadalajara por unos detractores.

En el período de 1862 a 1867, el gobierno de Juárez se enfrentó a la invasión extranjera tripartita, a la ocupación francesa y al segundo imperio. Juárez se vio obligado a trasladar su gobierno al norte del país hasta llegar a Paso del Norte, en la frontera con Estados Unidos, población que en su honor hoy se llama Ciudad Juárez.

Finalmente, en la etapa que va de 1868 a 1872, libre de la ocupación extranjera, triunfó sobre el imperio e inició la reconstrucción nacional, ocupando la presidencia hasta su fallecimiento.

De acuerdo con la Constitución de 1857, se organizó al país como república federal y democrática y se estableció un sistema unicameral, que dio la hegemonía al poder legislativo sobre el ejecutivo y el judicial. Como ya señalamos, se eligió como presidente de la República a Ignacio Comonfort y como máxima autoridad de la Suprema Corte de Justicia a Juárez. Según la Constitución, en caso de faltar el jefe de la nación, el presidente de la Corte ocuparía la primera magistratura.

Los intereses creados hicieron que la Constitución adquiriera enemigos de inmediato. Para el general Comonfort, la nueva legislación no estaba de acuerdo con las necesidades del país, por establecer un gobierno congresional que dejaba maniatado al ejecutivo. Los conservadores y los clericales pensaban de un modo semejante: consideraban que dicha Constitución vulneraba sus privilegios, ya que había incorporado medidas reformistas antes elaboradas por los liberales, como las conocidas Ley Juárez, Ley Lerdo, Ley Iglesias y Ley Lafragua, además de otras complementarias. Así mismo, la calificaban de herética por no establecer la intolerancia religiosa, además de que en su artículo 123 establecía el derecho del Estado de legislar en materia de cultos.

El propio presidente Comonfort, apoyado por el general Félix Zuloaga, antiguo santanista, dio un golpe de Estado y desconoció dicha Constitución, iniciando la llamada Guerra de Reforma. El presidente se encontraba entre la espada y la pared: por una parte los conservadores le exigían la abolición de toda legislación reformista y los liberales, por la otra, le reprochaban su defección. Juárez fue tomado prisionero, mientras que las guarniciones de México y Tacubaya finalmente desconocieron a Comonfort y se pronunciaron por Zuloaga como presidente. Ante la lucha armada y la falta de simpatizantes que lo apoyaran, Comonfort abandonó el país rumbo a los Estados Unidos, dejando en libertad a Juárez y otros liberales, en un acto de contrición o de reconocimiento de su error.

Juárez se dirigió a la ciudad de Guanajuato y desde allí emitió un manifiesto a la nación comunicándole que, en su calidad de presidente de la Suprema Corte de Justicia, de acuerdo con lo dispuesto por la Constitución, asumía la presidencia de la República. Perseguido por los conservadores, se trasladó a la ciudad de Guadalajara, en donde estuvo a punto de ser fusilado por desertores de su propio ejército, que fueron disuadidos de su intento por la retórica del poeta don Guillermo Prieto, liberal, colaborador de Juárez. Benito nombró a Santos Degollado general en jefe del ejército constitucionalista, un civil que tras sucesivas derrotas fue el forjador de las fuerzas liberales. El presidente constitucionalista afrontó una situación por demás crítica. Sin recursos económicos para la guerra y sin jefes militares cualificados, las derrotas se sucedieron una tras otra durante el primer año.

En este ambiente de persecuciones y enfrentamientos armados, en que los recursos escaseaban para liberales y conservadores, se dieron las Leyes de Reforma, emitidas de acuerdo con Juárez en vista de que los principios de libertad no podían arraigarse en la nación «mientras, en su modo de ser social y administrativo, se conservaran elementos de despotismo». La medida se justificó también de acuerdo con el articulo 123 de la Constitución de 1857, que facultaba al Estado para legislar en materia religiosa. La oportunidad de dictar nuevas medidas que redujeran los privilegios del clero se dieron con estas leyes, promulgadas por Juárez cuando su Gobierno estaba instalado en Veracruz en el momento más cruento de la guerra civil. El 12 de julio de 1859 se decretó la Ley de Nacionalización de los Bienes Eclesiásticos, que quitó a la Iglesia su poder económico, con la finalidad de que el enemigo no contara con esta fuente de recursos, indispensable para la penosa situación monetaria del ejército liberal.

La Ley del Matrimonio Civil del 28 de julio del mismo año estableció el casamiento como contrato y la independencia de los negocios civiles y eclesiásticos. Tres días más tarde, la Ley Orgánica del Registro Civil estableció el control del registro de los ciudadanos por parte del Estado, quitándolo de las manos de la Iglesia. Otro tanto se hizo en virtud del Decreto para la Secularización de los Cementerios, por lo que quedaron bajo la autoridad civil los necrópolis, panteones, campos santos y bóvedas, antes en poder del clero.

Mediante el Decreto sobre Días Festivos y Prohibición de Asistencia Oficial a la Iglesia, del 11 de agosto del mismo año, se impidió a los funcionarios públicos asistir a las ceremonias eclesiásticas, respetando las festividades religiosas del pueblo. El 4 de diciembre del año siguiente, Juárez dictó su Ley sobre Libertad de Cultos, que expresamente legalizó la medida que se encontraba implícita en la tolerancia religiosa de la Constitución de 1857, protegiendo el ejercicio del culto católico y los demás que se establecieran en el país.

El 2 de febrero de 1864, mediante el decreto para la Secularización de Hospitales, el Gobierno tomó en sus manos el cuidado y dirección de estos establecimientos.

Finalmente, el 26 de febrero de 1863, Juárez dictó el Decreto para la Supresión de Comunidades Religiosas y, en vista de las necesidades producidas por la intervención francesa, los conventos se convirtieron en hospitales.

Las medidas decididas por Juárez le valieron ser tachado de hereje, ya que el grupo conservador y la Iglesia dieron al conflicto un carácter de guerra de religión que no tenía. En realidad, se trataba del enfrentamiento por el poder de dos grupos que alentaban proyectos de gobierno distintos: era un problema político, no una cuestión religiosa. Juárez y muchos de sus colaboradores eran creyentes, por tanto no pretendían ninguna persecución religiosa; atacaban al clericalismo —el uso de la calidad sacerdotal para fines políticos—, que era contrario a la propia doctrina de la Iglesia. Los excesos cometidos por los liberales fueron propios de la guerra, mas no estaban encaminados contra el catolicismo. Los conservadores se erigieron en defensores de una religión que no era perseguida. A ello contribuyó en buena medida la política pontificia, ya que Pío IX, en diversas alocuciones, condenó la libertad de conciencia, el matrimonio civil y la educación laica. La Iglesia mexicana vivía fuera de su época y pretendía conservar su status medieval en pleno siglo XIX. En las naciones latinoamericanas, principalmente en México, el pontificado quería defender a ultranza un último bastión de su poder político en América.

De 1858 a 1867 coexistieron dos gobiernos en México: el liberal, con Juárez a la cabeza, y el conservador, con los generales clericales Félix Zuloaga y Miguel Miramón, quienes se alternaban en el poder. Ambos grupos buscaban el reconocimiento internacional para legitimar su permanencia en el Gobierno. Los Estados Unidos respaldaron el de Juárez desde abril de 1859, y en septiembre del mismo año España hizo lo propio con los conservadores. Los estragos causados por la guerra crecían al ritmo con que aumentaban las ilusiones expansionistas de los Estados Unidos; con fondos cada vez más exiguos, el grupo liberal solicitó un préstamo al Gobierno de ese país. De acuerdo con el Tratado MacLane-Ocampo, que fue rechazado por el Senado estadounidense, se concedería a ese país el derecho de vía a perpetuidad por el istmo de Tehuantepec, incluyendo el paso de tropas, y se otorgaría también el derecho de tránsito de Guaymas a Nogales y de Tamaulipas a Mazatlán, vía Monterrey. La política exterior de Juárez fue tan censurada como su legislación reformista. Sus críticos no comprendían la difícil situación en que vivía el país. Era preferible un tratado de tránsito con los Estados Unidos que vender territorio nacional a su Gobierno. Afortunadamente para Juárez y para México, dicho tratado no fue ratificado por el Senado estadounidense, seguramente debido a las diferencias entre norte y confederación que se preparaban para una guerra civil.

Hacia 1860 Juárez había establecido su residencia en Veracruz, por lo que el ejército conservador mantenía sus esperanzas de tomar el puerto. Miguel Miramón, un joven militar que años más tarde habría de acompañar a Maximiliano de Habsburgo hasta el cerro Las Campanas, decidió atacar por mar y tierra. Juárez recurrió al apoyo de una corbeta estadounidense y capturó a los militares conservadores. Se acusó al presidente liberal de traición por haber aceptado la intervención extranjera, pero el Gobierno de Estados Unidos declaró que la tripulación había actuado por cuenta propia. Al finalizar el año, el 22 de diciembre, se decidió la Guerra de Reforma en la batalla de San Miguel Calpulalpan, con la derrota de la fuerza conservadora y la huida de Miramón al extranjero.

En 1864 México vivió uno de los años más difíciles de su historia. La actuación de Juárez al frente de la presidencia se criticaba incluso dentro del grupo liberal, que al día siguiente de la victoria quería que se solucionaran todos los conflictos y se consideraba injustamente al presidente incapaz para lograrlo. El propio Benito diría que era presidente de nombre, pero que no lo era en la práctica.

El primer acto del Gobierno de Juárez al establecerse en la capital fue la expulsión de todos los miembros de la Iglesia que habían participado en la guerra, así como de aquellos representantes diplomáticos que intervinieron en la política nacional contra el Gobierno. Se reinstauró el Congreso y Juárez fue elegido presidente constitucional. Pocos gobiernos experimentaron tantas dificultades como las que surgieron en esos momentos. Teniendo todas las facultades, el primer mandatario no disponía de los medios para hacerse obedecer.

En tanto, permanecían encendidos los ánimos y grupos de conservadores seguían librando batallas en varios puntos del país. Incluso, en el mes de mayo, Melchor Ocampo fue hecho prisionero en Michoacán e Hidalgo fue asesinado en Tepeji del Río. La prensa se echó encima, exigiendo la pacificación del país y tachando de ineptitud a Juárez y su gabinete.

Se atacó al oaxaqueño por no haber cumplido con la Constitución del 57. El jefe del ejecutivo aceptó su responsabilidad, reconociendo que desde el inicio de la guerra había tenido que actuar sin más freno que su propia conciencia, teniendo siempre como meta alcanzar el triunfo para que la Carta Magna tuviera vigencia plena. Los ánimos se exaltaron al punto que la cámara sometió a votación la remoción del presidente: cincuenta y un diputados sostuvieron que debía renunciar al cargo y cincuenta y dos dieron su voto para que permaneciera ocupando el puesto.

La situación financiera, agotada como resultado de la guerra, aunque se encontraba en bancarrota desde la independencia, se volvió insostenible, por lo que el presidente Juárez decidió suspender el pago de la deuda pública nacional por dos años. La medida incluyó a las convenciones extranjeras, por lo que los representantes de Francia e Inglaterra rompieron relaciones con el Gobierno mexicano. Juárez logró que se reformara la ley para exceptuar a las convenciones internacionales, pero Inglaterra, Francia y España no confiaron en la solvencia del país y formaron una alianza tripartita que, en una convención celebrada en Londres, se comprometió a exigir el pago de la deuda. Aunque en el convenio se establecía la no intervención en los asuntos internos de México, el Gobierno francés tenía un plan preconcebido ajeno a dicho acuerdo: establecer en México un gobierno subsidiario del suyo. La idea de Napoleón III, emperador de los franceses de 1852 a 1870, era implantar en América un imperio que, constituido por la unión de la raza latina con Francia a la cabeza, frenara el avance del imperialismo sajón y protestante de los Estados Unidos. La idea cobraba fuerza, ya que entre los conservadores, e incluso entre algunos círculos liberales, se pensaba que la única solución a los problemas de México era establecer una monarquía, con un príncipe verdadero, o sea europeo. Ante la situación, Juárez se enfrentó a uno de los momentos más difíciles de la historia de su país y demostró tener siempre la convicción de que le asistía la justicia y que su causa acabaría triunfando.

Capítulo V

— Intervencionismo europeo —

La desesperada situación de México tras la cruel guerra civil padecida y prácticamente finiquitada, se agravaría mucho antes de lo previsto por los más pesimistas. El presidente Buchanan ya lo había profetizado en su momento (mensaje de diciembre de 1859): *si triunfan Miramón y el partido reaccionario, intervendremos nosotros; pero si ganan Juárez y los liberales, la intervención la protagonizarán los europeos.*

En verdad, los acontecimientos se precipitaron vertiginosamente desde el preciso instante en que el Gobierno juarista decretó la suspensión de pagos de la deuda extranjera a finales de julio de 1861. El proceso económico estaba en franca bancarrota y ya en varias ocasiones el gabinete de Juárez había puesto encima de la mesa la posibilidad de suspender pagos de la deuda exterior como única fórmula válida de hacer frente a los problemas internos, creando la base para restaurar la Hacienda del país. Pocas fechas después de que quedara compuesto un nuevo gobierno con Zamacona (Relaciones), Zaragoza (Guerra), Núñez (Hacienda), Balcárcel (Desarrollo) y Ruiz (Justicia), el 13 de julio se presentó, aprobándose esta vez, el plan de suspensión de pagos. *La propuesta fue debatida por la Cámara en sesión secreta y, por ciento doce votos a favor y cuatro en contra, fue aprobada el 17 de julio* (Smart).

La respuesta no se hizo esperar. Al principio, los representantes de Francia y el Reino Unido se resistían a creer que fuera cierto, pero muy pronto comprendieron que sí lo era y rompieron las relaciones diplomáticas con México. El 27 de julio de 1861 el representante francés, *monsieur* Saligny, se expresaba con estas palabras ante el Gobierno mexicano:

«Sir Charles Wike y yo hemos considerado la situación desde el mismo punto de vista y hemos obrado de completo acuerdo rompiendo nuestras relaciones con el Gobierno de México. Esta determinación ha producido una profunda sensación. El pueblo francés es unánime en su indignación contra ese gabinete y en su deseo de ver aplicarle un castigo pronto y ejemplar» (Zayas).

Aunque la ruptura de relaciones preconizada por Saligny y Wyke no tenía carácter de oficialidad hasta que fuera sancionada por sus respectivos gobiernos, tal ratificación parecía inminente. Juárez escribió a su embajador en Europa, Juan Antonio de la Fuente, para que explicara la situación a los altos mandatarios ingleses y franceses, dando todo tipo de seguridades acerca de que el pago de la deuda externa se reanudaría, por parte mexicana, una vez el país se hubiera recuperado del marasmo económico en que se encontraba sumido. *Yo tengo esperanzas* —decía don Benito en su misiva—, *fundadas esperanzas creo, de que la tregua que nos da el decreto o ley citada nos producirá la completa pacificación de México y la restauración de nuestra Hacienda y de nuestro crédito, salvándonos de pronto de la anarquía y de la completa disolución de nuestra sociedad.*

Las buenas maneras y esfuerzos de Juan Antonio de la Fuente resultaron completamente estériles, ya que la nota mexicana fue rechazada de plano. La postura francesa tuvo el apoyo *de facto* del Gobierno español, mientras Inglaterra, sin descartar la posibilidad de poner en marcha su maquinaria bélica, dejaba abierto un resquicio a la posible *entente cordial.* Pero el evento, sin embargo, se complicaba más y más debido al hecho de que, si bien Abraham Lincoln y la Unión daban su apoyo al Gobierno liberal de Juárez, los confederados se decantaban por las posturas conservadoras y agresivas de las potencias europeas. *Seward, Corwin y Romero trataron de entablar negociaciones conducentes a la concesión de un préstamo*

Juárez rodeado de sus ministros civiles y militares. Mezotinta, 89 × 60 cm.
Recinto Homenaje a Don Benito Juárez. Secretaría de Hacienda y Crédito Público.

L Dumont y H. Meyet: *Capilla ardiente de Juárez en el Salón de Embajadores del Palacio Nacional, ca. 1872.* Grabado. Archivo Benito Juárez Fondo Reservado. Hemeroteca Nacional, UNAM.

Jorge González Camarena: *Benito Juárez, 1968.* Óleo sobre tela, 205 × 189 cm. Museo Nacional de Historia, INAH.

José Clemente Orozco: *La Reforma y la caída del Imperio (Juárez redivivo), 1948.* Fresco sobre aparejo, 395 × 650 cm. Museo Nacional de Historia, INAM.

José Escudero y Espronceda: *Benito Juárez, 1870*. Óleo sobre tela, 242 × 178 cm.
Presidencia de la República, Palacio Nacional.

Juárez el día de su boda con Margarita Maza, acompañado de su hermana María Josefa Juárez. Fotografía. Recinto Homenaje a Don Benito Juárez. Secretaría de Hacienda y Crédito Público.

Aspecto de la Plaza Mayor el día de la entrada de Benito Juárez a la ciudad de México, 15 de julio de 1867. Grabado. Col. Particular.

José Escudero y Espronceda: *Benito Juárez y su esposa, Margarita Maza de Juárez, 1890.*
Óleo sobre tela. Museo Nacional de Historia, INAH.

norteamericano a México, por cinco años y al tres por ciento de interés, desde el 17 de julio de 1861, y por el importe de la deuda exterior mexicana (de unos sesenta y cinco millones de pesos). *Como garantía, México debería establecer una hipoteca en favor de los Estados Unidos sobre las tierras del Estado y las minas de la Baja California, Chihuahua, Sonora y Sinaloa. Antes de comenzar las negociaciones, Seward trató de que el Senado aprobara el plan en líneas generales, y quiso obtener de los gobiernos francés y británico la promesa de aplazar su intervención, pero falló en ambos intentos.* De nuevo, este episodio fue interpretado por algunos sectores tradicionalmente enemigos de Juárez como una de las varias traiciones del político oaxaqueño en beneficio de los vecinos del Norte, quienes al estilo Buchanan maquinarían arrebatar nuevos pedazos de territorio mexicano.

Mientras todo hacía pensar en una pronta y directa intervención extranjera en los asuntos internos de México, éstos parecían orientarse mejor en el área militar: el 13 de agosto Ortega derrotó a Márquez en Jalatlaco, pero éste y Mejía lograron escapar; en octubre los generales Tapia y Díaz vencieron a Márquez y Zuloaga y, aunque éstos consiguieron huir también, pudieron capturar a Lindoro Cajiga, el asesino de Melchor Ocampo, quien sería ejecutado, poniéndose fin de esta manera a la terrible guerra de la Reforma. Los intentos de establecer una monarquía en México se habían iniciado en fechas tempranas, pero entonces, algunos de los retrógrados estaban animando a varias potencias europeas en este sentido. Por ejemplo, los españoles, aprovechando la circunstancia favorable de la Guerra de Secesión en Estados Unidos, pensaron que era oportuno ensayar el intento de la instauración de un monarca de la casa de Borbón. Sin embargo, ante el anuncio por parte de España de su intención de declarar la guerra a México a causa de las injurias recibidas por parte de aquella República, Seward, secretario de Estado norteamericano, respondió:

«Los Estados Unidos de América reconocen el derecho de España para declarar la guerra a cualquier nación y que, si tal hace con México, no se opondrá ni se mezclarán en ella, siempre que España se conduzca con arreglo al derecho de gentes y no entre en

sus miras el apoderarse de territorio alguno ni subvertir la forma de gobierno republicano que existe en México por la voluntad del pueblo» (Foix).

Cuando el gobierno de Isabel II recibió la respuesta de Seward, entendió que no era oportuno ni prudente embarcarse en aventuras militares para sentar a un Borbón en el hipotético trono mexicano, hecho éste que llevó al gabinete de Su Majestad a ponerse en contacto con Francia e Inglaterra: el resultado de esas conversaciones fue el llamado *Convenio de Londres,* firmado el 31 de octubre de 1861 por las tres potencias europeas, que acordaron proceder conjuntamente a una invasión armada. *En la Convención se incluía una invitación a los Estados Unidos, que también tenía reclamaciones pendientes contra México, para unirse a Londres, París y Madrid en la intervención bélica* (Smart).

Pese a las noticias poco halagüeñas que llegaban de Europa, el gobierno Juárez creía que los intereses de británicos y franceses eran meramente económicos, al tiempo que pensaba que el verdadero peligro se llamaba España, inmersa en nuevas aventuras imperialistas. Juárez había anotado en sus *Apuntes:*

> *Es un mal grave, ciertamente, tener que sostener la guerra con una nación extranjera; pero el grado de ese mal disminuye, siendo España la que nos ataque, porque sostiene una causa injusta y porque la lucha a que nos provoca serviría para unir estrechamente el partido liberal y extirpar de una vez por todas los abusos del sistema colonial, afianzando para siempre en nuestro país la Independencia, la Libertad y la Reforma.*

Don Benito y sus ministros, como puede apreciarse a través de esta secuencia epistolar del presidente, estaban muy lejos de interpretar debidamente cuáles eran los verdaderos intereses y designios de cada una de las potencias firmantes del *Convenio de Londres.*

La primera de aquéllas que puso en marcha su maquinaria bélica, como era de prever, fue España. La expedición militar hispana estaba capitaneada por el general Manuel Gasset, quien desembarcaría en Veracruz, escribiendo al capitán general de Cuba, el 17 de diciembre de 1861, que, *posesionado de la plaza de Veracruz, como tengo el honor de participarlo a V.E. en comunicado aparte, hallé la ciudad abandonada por la mitad de sus habitantes* (Foix). El cuerpo expedicionario español estaba compuesto por seis mil hombres y había ocupado el lugar sin choque alguno, ya que el general Llave, cumpliendo órdenes de la superioridad, habíase retirado con su ejército a Cerro Gordo y Chicuihuite.

Los días 6 y 7 de enero de 1862 los ingleses desembarcaron setecientos efectivos y los franceses dos mil quinientos. En conjunto, pues, el ejército invasor estaba compuesto por nueve mil doscientos hombres. Los delegados eran: Sir Charles Wyke y el comodoro Hug Dulop, por los británicos; el conde Dubois de Saligny y el almirante E. Jurien, por los franceses, y los generales Juan Prim Prats y Manuel Gasset, por los españoles. *Al principio fue Prim el principal intervencionista, siendo una suerte para México porque estaba casado con una sobrina de Echevarría, a la sazón ministro de Hacienda jurista. Por consiguiente, no es de extrañar que sus simpatías se inclinaran hacia los mexicanos, pero lo que sí debe destacarse es la audacia de que hizo gala al expresarse y actuar de acuerdo con su manera de sentir. Se le tildó de vanidoso, ignorante e imprudente y quizá lo fuera, pero en este caso demostró ser un verdadero estadista, porque Juan Prim era consciente de lo que los franceses pretendían realmente y, con el apoyo de Wyke, se enfrentó resueltamente con ellos tan pronto como empezaron las divergencias respecto a las pretensiones de cada uno de los países intervencionistas, cosa que se produjo casi de inmediato* (Smart).

Con independencia de esas controversias entre los invasores, lo verdaderamente insólito es que éstos pidieran a Juárez autorización para trasladar sus tropas a lugares más saludables del interior del país, lo que el presidente no consintió si no se lograban avances sustanciales en las negociaciones entre México y los gobiernos intervencionistas. Lo que pretendía el oaxaqueño era que los aliados reconocieran al gobierno constitucional, ya que ellos se estaban apoyando en algunos elementos reaccionarios que actuaban como auténticos traidores, y se obligaran a respetar la independencia y soberanía de la nación. El delegado de Juárez fue Doblado, y el acuerdo se firmó en Veracruz, por lo que ese eufemístico tratado vino a llamarse *los preliminares de La Soledad.* A lo largo y ancho de las conversaciones se evidenciaron los intereses específicos de cada potencia; al aclararse los objetivos franceses, tanto Inglaterra como España decidieron retirarse. Las huestes galas ocuparon entonces Tehuacán, mientras los británicos se quedaron en Veracruz y los españoles partieron hacia Córdoba y Orizaba. Por último, el 9 de abril, los comisionados aliados, tras reunirse en Orizaba, decidieron disolver la *convención de Londres.* De esta guisa, Juárez, el 11 de abril ampliaba sus *Apuntes* con este texto:

> *Se recibió el comunicado de los aliados avisando de que queda disuelta la* convención de Londres, *que los ingleses y españoles se reembarcarán y que los franceses irán a Paso del Macho para obrar con la libertad de acción que les convenga. Se dispuso dar un manifiesto a la nación informándole de este suceso y convocándola a la defensa.*

El final de la intervención inglesa e hispana fue relativamente satisfactorio para los mexicanos; Juan Prim Prats se retiró sin haber negociado tratado alguno entre México y España, aunque posteriormente se firmó uno, mientras que Doblado no negoció con excesiva fortuna un tratado con Inglaterra que vino a reproducir el de Wyke-Zamacona. *Juárez en su manifiesto del 12 de abril y Doblado en una carta a Montluc, escrita en ese mismo mes, expresaban la esperanza de que Napoleón III, que había sido erróneamente informado, vería cuán improcedente era su forma de actuar, pero no fue así. Las fuerzas francesas prosiguieron reforzándose y el 16 de abril lanzaron una proclama en Córdoba, por la que se titulaban a sí mismos liberales y pacificadores, pero exponiendo con meridiana claridad que la bandera francesa había venido a México para quedarse y que estaban dispuestos a defenderla por todos los medios* (Smart).

Pese a lo singular de la *guerra* franco-mexicana, los dos ejércitos se aprestaban para el combate a últimos de abril de 1862. La milicia mexicana no había podido reunir a más de cuatro mil ochocientos cincuenta hombres, ya que la lucha contra las partidas de traidores monárquicos y reaccionarios distraía numerosas fuerzas en distintos lugares del país. Ese modesto ejército se encontraba al mando del general Ignacio Zamora y otros generales de rango inferior, como Negrete, Mejía, Álvarez, Lamadrid, Berriozábal y el más tarde tan famoso Porfirio Díaz. En el bando francés se había concentrado una fuerza de seis mil hombres con profusión de piezas artilleras, bajo la coordinación del general Charles Ferdinand Latrille de Lorencez.

Ambos contendientes se encontraban a no excesiva distancia de la ciudad de Puebla, donde dos colinas se hallaban fortificadas. Zaragoza dispuso mil doscientos hombres en los fuertes de Loreto y Guadalupe y tres mil cien efectivos de Berriozábal en la carretera del Este, por donde se esperaba el avance francés.

El general Latrille de Lorencez envió el grueso principal de sus fuerzas *a través del áspero paisaje para bombardear y atacar los dos fuertes. La superior potencia de fuego de los franceses y la protección que les dispensaban las lomas situadas en su línea de ataque, les permitieron llegar muy cerca de los fuertes, pero Zaragoza los reforzó rápidamente con tropas de Berriozábal y otras, y encubrió su caballería e infantería en trincheras y detrás de hileras de maguey en los flancos de los dos fuertes, de modo que cuando los franceses se hicieron visibles, los mexicanos descendieron precipitadamente sobre ellos desde tres ángulos distintos, obligándoles a retroceder* (Smart). Era el 5 de mayo. Durante toda la jornada se sucedieron ataques y contraataques en los que la inexperiencia y juventud de los reclutas mexicanos les llevó en ocasiones a la desesperación y la huida, mientras que otras veces se comportaron con una valentía rayana en el heroísmo, no dándole tregua al enemigo. En algún momento el general Zaragoza, pese a su superioridad numérica sobre los galos, no consideró oportuno perseguirles; Porfirio Díaz, sin embargo, desobedeciéndole, siguió el hostigamiento de las tropas francesas hasta que consiguió que se retiraran a Orizaba, donde aguardarían refuerzos procedentes de Francia. La batalla del 5 de mayo fue un auténtico éxito para las huestes mexicanas, ya que, pese a su juventud e inexperiencia, habían sido capaces de derrotar a uno de los ejércitos más prestigiosos del mundo.

Cuando la noticia de esta debacle llegó a París, los liberales de la Asamblea pusieron el grito en el cielo, protestando contra un enfrentamiento bélico que consideraban tan injusto como insensato;

no obstante, la votación fue favorable al expansionismo colonialista napoleónico, acordándose el envío de nuevas tropas, esta vez en número de treinta mil efectivos, bajo el mando del general Élie Fréderic Forey.

Mientras estos sucesos acaecían en la capital francesa, los agentes de Juárez en Estados Unidos, Romero y Bustamante, trataban de adquirir armas para pertrechar al ejército mexicano con vistas a próximos enfrentamientos con la elite militar gala; las dificultades burocráticas y políticas puestas a los representantes juaristas fueron tantas, que sólo de manera esporádica y extraoficial era factible enviar a México algún material de guerra. Tal actitud contrastaba con las facilidades encontradas por los franceses de Forey, llegados ya a Veracruz, para adquirir mulos y otros pertrechos.

Aun así, Benito Juárez seguía manteniendo un optimismo que rayaba en la más cruel de las ingenuidades; el 11 de junio le escribía a Montluc:

«La semana próxima nuestro ejército comenzará sus operaciones sobre Orizaba. El triunfo de nuestras armas no es dudoso. La nación entera está llena de entusiasmo. El gobierno constitucional es cada día más fuerte y respetado. La intervención francesa, con la confianza de Almonte y Márquez, está perdida en la opinión.»

Tal optimismo sólo podía justificarse merced al gran entusiasmo que la guerra contra el invasor francés despertaba en el pueblo, pero está fuera de toda duda que optimismo y entusiasmo no disparan balas, no ganan batallas y mucho menos guerras.

De otra parte, Juárez y su gobierno seguían empeñados en la ampliación de *reformas* especialmente respecto a la Iglesia: *redujo el número de conventos, se hizo cargo de los hospitales, prohibió las prédicas contra el ejecutivo y las leyes, privó a los religiosos del uso de la sotana fuera de los templos y la celebración de ceremonias religiosas en el exterior de los recintos sagrados.* Estas medidas tan inconvenientes se explicaban por el hecho de que los republicanos más radicales seguían hostigando y realizando actos violentos contra iglesias y clérigos; no podían, por tanto, cesar en la aplicación de reformas de esta índole, con el fin de apaciguar a sus seguidores más intolerantes, a la vez que se aseguraban su fidelidad y apoyo en la lucha contra el invasor europeo.

El general Forey llegaría a Veracruz el 21 de septiembre, con un ejército compuesto por treinta mil hombres, de los cuales ocho mil eran mexicanos que militaban en las filas de los reaccionarios Márquez y Vicario.

Por su parte, Juárez había sido capaz de poner en movimiento tres cuerpos de ejército con un total de veintitrés mil novecientos treinta efectivos humanos. Habiendo muerto el 8 de septiembre el general Zaragoza a consecuencia de la fiebre tifoidea, el presidente puso al mando del Ejército de Oriente al general González Ortega, y el del Centro bajo el mando del general Comonfort, *quien había sido indultado en virtud de haber ofrecido sus servicios a la causa republicana, y a finales de octubre se había presentado en México al frente de una brillante división compuesta de fronterizos* (Zayas). Por último, el Ejército de reserva quedaría al mando del general Doblado. Todo aquel grueso de tropas se había constituido merced al envío de contingentes desde la práctica totalidad de los estados de la nación: lo que había significado en ocasiones un esfuerzo en el transporte realmente extraordinario, dada la distancia de procedencia de muchos de aquellos soldados.

Como Forey y su poderosa fuerza no llegaron a Orizaba hasta el 24 de octubre de 1862, ese tiempo lo invirtieron los núcleos militares mexicanos concentrados en Puebla en fortificar la plaza; el general francés, por su parte, al enfrentarse con Almonte y los reaccionarios amigos, tuvo que realizar algunas operaciones de *limpieza* como, por ejemplo, desposeer del título de presidente de la República al ambicioso Almonte.

En los inicios de febrero de 1863 Benito Juárez se trasladó a Puebla para inspeccionar las fortificaciones y las fuerzas del ejército que había concentrado allí (algunos han criticado al oaxaqueño a causa de sus vacilaciones entre defender Puebla o la capital de la República; ello, sin embargo, se justificaba por el hecho de que los mismos franceses no tenían claro cuál iba a ser su objetivo primordial y concreto). *Por eso, y con suma habilidad, Juárez dividió el mando no de una manera absoluta y haciendo independiente a cada ejército, sino de un modo condicional y lógico, para que, en realidad, hubiera unidad de mando. El 10 de febrero la Secretaría de la Guerra, por orden expresa de Juárez, dirigió una nota a González Ortega diciéndole de un modo terminante:* ***Supuesto que el ejército invasor debe tener por principal mira bien la ocupación de la plaza fuerte de Puebla o ya la de la capital, cada una de estas plazas a su vez tendrá que reputarse como base de operaciones en las que se tengan que emprender para rechazarle. Por consiguiente, todas las disposiciones relativas, cuando fuese amagada la plaza de Puebla, emanarán del general en jefe del Ejército de Oriente, y cuando la plaza amagada fuese la capital, tales disposiciones serán dictadas por el general en jefe del Ejército del Centro*** (Zayas), con lo cual, cualquier posibilidad estaba contemplada.

El 16 de marzo de 1863 el ejército francés estaba frente a la ciudad de Puebla; en los siguientes cinco días, el cerco de la urbe quedó enteramente cerrado. Esa fuerza se componía de veintiséis mil trescientos soldados, de los cuales dos mil eran mexicanos reaccionarios. Había también ocho morteros y quince piezas de artillería pesada que empezaron a bombardear de inmediato la ciudad. En el interior se hallaba el ejército de Ortega, que abarcaba veintidós mil efectivos. Los ataques galos eran repelidos con una cierta facilidad: se reparaban los desperfectos en las fortificaciones y se continuaba la lucha. Pero, cosa lógica, con el transcurso de la fechas las vituallas iban escaseando.

El 8 de mayo, cuando Comonfort estaba reuniendo tropas en la carretera entre Puebla y México, fue sorprendido y derrotado por Márquez y el general Bazaine. Los mil muertos y heridos, más el millar de prisioneros que le hicieron, constituyó una hecatombe demasiado grave. El día 17 de ese mes Puebla había agotado por completo la munición y las provisiones, de manera que Ortega tuvo que rendirse, pudiendo escapar, en el último momento, el general Díaz.

A Juárez le quedaban catorce mil hombres que hubiera podido oponer a la desesperada frente a las fuerzas francesas, pero el Congreso, sin embargo, acordó que el Gobierno se retirara a San Luis Potosí, con aquel contingente que podría convertirse en el punto de partida para reconstruir la resistencia; al mismo tiempo, se le concedieron al presidente poderes extraordinarios para que pudiera actuar con total y absoluta libertad. Se levantó la sesión del Congreso y a las tres de la tarde del 31 de mayo 1863 salían de México Juárez y su gabinete. El 10 de junio, Forey, Almonte y Saligny entraban en la ciudad de México.

EL ASESINATO DE MELCHOR OCAMPO
(síntesis)

El año que sucede a la paz que ponía término a la guerra civil que había durado tres años (1857-1860) no fue, ciertamente, un año tranquilo y placentero. Todo tipo de secuelas atenazaría la vida de la República: problemas militares, económicos y políticos de todo género se fueron sucediendo a lo largo de ese año, haciendo que 1861 pasara a la historia de México, y en lo personal, a la historia de Benito Juárez, como uno de los más duros de su existencia.

El día 1 de enero de 1861 celebraba la entrada solemne en la capital el ejército constitucionalista y el día 11 llegaba a México Benito Juárez acompañado de algunos ministros de su Gobierno. Las primeras dificultades y problemas los iba a encontrar Juárez en su propio partido, que, si había estado suficientemente unido hasta entonces en virtud de la lucha, a partir de la victoria empezó a descomponerse en numerosos grupos. Aunque había una fracción que apoyaba incondicionalmente a Juárez, otros, los más exaltados, pedían medidas radicales y el completo exterminio de los reaccionarios; otra fracción, por último, *era hostil a Juárez en lo personal, creyendo que había cumplido con su cometido y debía dejar el puesto.* Junto a las divergencias políticas empezaban a surgir también los personalismos. Ése fue, sin duda, el caso del general González Ortega. a quien los triunfos militares y el apoyo de algunos hicieron creer que era el sucesor natural de Juárez. Sólo las elecciones a presidente del mes de junio pusieron las cosas en claro al recibir Juárez la mayoría absoluta de los votos emitidos, mientras González Ortega quedaba muy lejos de esa mayoría.

Aunque los reaccionarios habían sido derrotados, no habían desaparecido del mapa y el dominio de los constitucionales no era tan absoluto que impidiera acciones de aquéllos, a veces realmente sorprendentes y audaces, como la de introducirse 1.500 hombres en la capital el 25 de junio causando la alarma del público en general; o la acción de Márquez derrotando a Mariano Escobedo en Río Verde. A consecuencia de esos golpes audaces, numerosos hombres ilustres del campo liberal murieron en ese año: Manuel Gutiérrez

Zamora moría el 22 de marzo; al día siguiente, Miguel Lerdo de Tejada; el 3 de junio fue asesinado Melchor Ocampo; el 15 de junio moría Santos Degollado, y Leandro Valle fue fusilado por Márquez ese mismo día.

El daño mayor era, sin embargo, el económico. Después de una larga y terrible guerra civil, aquel país, ya de por sí pobre, había quedado terriblemente empobrecido. Todos sus escasos recursos se habían destinado al pago de los ejércitos mercenarios o el material de guerra que era preciso adquirir de España o de Estados Unidos, de Francia o de Inglaterra. Para hacer frente a esos gastos se había utilizado todo tipo de procedimientos. *El gobierno legítimo, para mantener la guerra, tuvo que comprometer el producto de las aduanas marítimas. La aduana de Veracruz, la de más pingües rendimientos, tenía comprometido el ochenta y cinco por ciento de sus productos para pagos al extranjero y el quince por ciento restante se lo disputaba cerca de un millón de pesos de órdenes de pronto pago. Las demás aduanas se encontraban en condiciones parecidas y algunas en peores aún* (Zayas).

El producto de la venta de las propiedades de la Iglesia se había sobrestimado, de manera que las ventas de esas propiedades habían proporcionado mucho menos de lo que se esperaba. De otra parte, el sistema de recaudación por el cual Estados Unidos recaudaba sus contribuciones y luego transfería al Gobierno federal en la proporción acordada, no funcionaba de la manera deseada. Así el déficit mensual alcanzaba la escalofriante cifra de cuatrocientos mil pesos, cuando el total de los ingresos federales anuales no superaba los veintiséis millones de pesos. La situación era tan angustiosa que en muchas ocasiones había de recurrirse al apoyo de los usureros. En el *Diario de Juárez, en las anotaciones correspondientes a este año, se habla de las reiteradas gestiones encaminadas a conseguir unos millones de pesos con los que pagar a la policía o a alguna utilidad del ejército, a fin de preservar el orden dentro de la capital, o para repeler a los reaccionarios y bandidos apostados en las cercanías* (Smart).

La situación económica no tenía solución porque sin liberar los derechos aduaneros de los gravámenes para el pago de la deuda exterior, sin poder presionar al contribuyente, ya muy agotado tras tan terrible guerra civil, sin poder eliminar a los conservadores que seguían hostigando al Gobierno hasta en la misma capital de la

República, nada se podía hacer. *Mientras el Gobierno se tambaleaba al borde de la bancarrota y el colapso, las incursiones de los reaccionarios iban en aumento y las potencias extranjeras presionaban cada vez más. Los ingleses, no contentos con ser los beneficiarios principales de los ingresos aduaneros, reclamaban, además del dinero robado en Laguna Seca, que por otra parte les estaba siendo devuelto, el que robó Miramón en la Legación británica* (Smart). Pero franceses y españoles no se comportaban con más generosidad: la presión internacional llegaba a límites intolerables sin que el Gobierno de Juárez pudiera hacer prácticamente nada.

Desde hacía tiempo los conservadores monárquicos mexicanos estaban jugando con varias posibilidades. Se sabía que había habido contactos con el teniente don Juan de Borbón, para que aceptase el trono de México y arrastrara a España a una aventura conquistadora, lo que no parecía nada probable. Era mucho más peligroso el juego con Napoleón III, que gobernaba Francia desde hacía diez años y que, tras sus aventuras militares en Crimea e Italia, podía ambicionar poseer un gobierno satélite en México.

En contraste, en Estados Unidos había sido elegido presidente Abraham Lincoln y, en una primera entrevista de Romero con éste, el nuevo presidente norteamericano se mostró muy comprensivo y amistoso con el gobierno de Juárez. Según relata Romero, Lincoln *dijo que durante su administración procurará hacer todo lo que esté a su alcance en favor de los intereses de México, que se le hará entera justicia en todo lo que ocurra y que se le considerará como una nación amiga y hermana. Durante los años que siguieron, Lincoln cumplió sus promesas, y lo mismo sucedió en la administración del presidente Johnson. Sin embargo, hubo algún momento en que las intrigas de determinados personajes de uno y otro país hicieron peligrar aquellas buenas relaciones e incluso el peligro llegó a amenazar no sólo al gobierno de Juárez, sino también al de los Estados Unidos, cuando existía la amenaza de una posible unión de Francia, la Confederación y los elementos reaccionarios de México* (Smart).

En el orden interior Juárez tuvo que atender a nuevos peligros y amenazas, especialmente debido a la forma en que él mismo planteó su relación y la de su Gobierno con el Congreso *mediante el establecimiento de una forma de gobierno casi parlamentaria dentro de la Constitución. En esta nueva fórmula, los miembros del gabinete tendrían también su escaño en el Congreso y serían responsables ante este organismo y ante el presidente* (Smart). Ese proyecto de Juárez debe considerarse como un claro error de nuestro héroe. Hacia finales de mayo la rebelión del Congreso era un asunto extremadamente grave, ya que llegó a crear un Comité de Seguridad Pública y se habló de derrocar a Juárez, al que se le acusó de traidor, al haber firmado el Tratado McLane-Ocampo. El resultado fue, sin embargo, excelente, ya que Juárez, después de haber sido defendido por el señor Zarco, recibió un voto de confianza por parte del Congreso; no ocurrió lo mismo en el caso de Melchor Ocampo, que el 29 de mayo fue acusado de traidor y se le requirió para que se presentara ante el Congreso para justificar su intervención en el tratado McLane-Ocampo. Sin embargo, no pudo llegar a ofrecer tales justificaciones, porque la muerte le aguardaba de manera injustificada y cruel.

Ya se dijo que los conservadores, formando verdaderas bandas de forajidos, hostigaban a las fuerzas liberales, especialmente a sus líderes, allí donde se encontraran. Una de esas bandas, la de Márquez, ya había intentado capturar y colgar a Esteban Campos, criado de Melchor Ocampo y padre de la amante de éste. *El 30 de mayo. al día siguiente de haber sido tachado de traidor en el Congreso, advirtió, de modo que no dejaba lugar a dudas, que los facinerosos estaban cerca y que su objetivo era, con toda probabilidad, él mismo. Ocampo, sin hacer caso de las protestas de sus hijas menores y de su concubina, hija de Campos, las envió a una fiesta en Maravatío. A mediodía llamaron a la puerta y Lindoro Cajiga, pistolero de Márquez, y otros penetraron en casa por la fuerza y, después de rehusar el refresco que les ofreció Ocampo, le hicieron prisionero* (Smart).

Lo que siguió a este asalto fue un verdadero calvario: le golpearon, le llevaron maniatado y montado en un caballo hasta Tepejí del Río, a unos sesenta y cinco kilómetros de la ciudad de México, donde le aguardaban Márquez y Zuloaga, quien se llamaba a sí mismo presidente de la República. Fue condenado a muerte y se le comunicó que la ejecución sería inmediata. Se le dio pluma y tinta para que escribiera sus últimas voluntades. En ellas reconocía a sus cuatro hijas naturales y también adoptaba como hija a Clara Campos. El documento terminaba así:

Digo adiós a todos mis buenos amigos y a todos cuantos me han ayudado poco o mucho, y muero creyendo que en el servicio de mi país he hecho lo que de buena fe creí que era conveniente.

A las dos de la tarde de ese día le condujeron hasta la hacienda de Caltenango, donde se le asesinó, colgándole después de un pimentero. Era el 3 de junio de 1861.

Los días que siguieron fueron de una profunda amargura para Benito Juárez. No hay que olvidar que la amistad con Melchor Ocampo, creada en el infortunio del exilio en Nueva Orleáns, se había forjado a lo largo de aquellos durísimos años de la guerra. En las notas de su *Diario* correspondientes al 4 de junio leemos:

A las siete de la mañana me avisó el señor Prieto que, según le había dicho uno de los mozos que fueron al campo enemigo, Zuloaga y Márquez habían mandado fusilar al señor Ocampo. A la media hora volvió con una carta del mismo Márquez dirigida a un señor Carrillo en que se confirmaba esta fatal noticia.

Considerando la fuerte sensación que va a producir en el pueblo esta lamentable desgracia y temiendo que se atente contra las personas de los presos políticos, di las órdenes respectivas para que se redoblen las guardias de las prisiones y encargué al señor gobernador del distrito, al señor comandante militar, señor Leandro Valle, y al señor ministro de la Guerra, la mayor vigilancia.

A poco rato se infundió la noticia en la ciudad y se nos fueron presentando personas de todas clases pidiendo que en el acto fueran ejecutados los presos políticos y aun protestando que, si el Gobierno no lo hacía, ellos y el pueblo harían ese deber de justicia. Hice todos los esfuerzos que estuvieron a mi alcance para disuadir a estas personas de cometer el más leve atentado, pues yo como gobernante legítimo de la sociedad haría todo lo posible para que los delincuentes fueran castigados conforme a las leyes; pero que jamás permitiría que se usase de las vías de hecho contra los reos que estaban bajo la protección de las leyes y de la autoridad. Que advirtieran que los que sacrificaron a mi leal amigo el señor Ocampo eran asesinos y que yo era el gobernante de una sociedad ilustrada. Los señores don Leandro Valle y don Aureliano Rivera presenciaron este acto.

La anécdota, siendo una entre miles, vale para reforzar la opinión de hasta qué punto Benito Juárez anteponía el imperio de la ley a cualquier otra circunstancia y, desde luego, a cualquier pasión propia o ajena. Su talla como gobernante se hallaba por encima de cualquier circunstancia personal. El dolor de Juárez por la pérdida de Ocampo era enorme, pero su responsabilidad sobre una *sociedad ilustrada* estaba por encima de su propio dolor.

Los problemas no cesaban. La penuria económica era tan grande que las quejas de Ortega en relación con los medios de que disponía para acabar con los restos de la resistencia de los conservadores eran, sin duda, ciertas. Los resultados daban la razón a Ortega: Santos Degollado, con una escasa fuerza, cayó en una emboscada en el camino entre Toluca y Lenna y la ciudad de México. Poco después, el 22 de junio, el general Valle, con una tropa de ochocientos hombres, caería ante un ejército de tres mil soldados mandados por Márquez. El cuerpo diplomático advertía a Juárez que no ejecutara a los presos políticos, para no igualarse al bandidaje de Márquez y Zuloaga. Los gobiernos se sucedían unos a otros y ya pocas personas con prestigio querían arriesgarse a perderlo entrando a formar parte de alguno de esos gobiernos que no duraba más de algunas semanas.

Fue en medio de esa terrible situación por la que atravesaba México cuando se celebró la elección para presidente, de la que salió elegido Juárez para su segundo mandato.

Capítulo VI

— Auge y ocaso de Maximiliano de Habsburgo —

Una de las secuencias más dolorosas del devenir del oaxaqueño, y con él la neonata República mexicana, fue la absurda aventura de Napoleón III y de Maximiliano de Habsburgo y Carlota, auténticas víctimas propiciatorias de los hechos en que se vieron envueltos en el transcurso de aquellos años: la megalomanía incontrolable del emperador y la nada despreciable ambición personal del matrimonio, emparejado todo ello con los deseos de Eugenia de Montijo y las ilusiones por aferrarse a un pretérito fenecido y decadente, eclesiástico, hispanizante y privilegiado de los bulliciosos residuos mexicanos, compuso una extraña espiral de locura que desembocó en una patética comedia, dramática en el fondo, que alteró en principio el curso normal de la historia de México. *En realidad, Maximiliano y Carlota no fueron más que los grotescos polichinelas de un teatro de guiñol, de una estafa gigantesca, y aunque eran jóvenes, idealistas y soñadores, eran, también, ignorantes, toscamente presuntuosos y estaban estimulados por unos delirios de grandeza que rayaban en la codicia. Napoleón III y la inefable Eugenia eran así mismo soñadores e idealistas; a su manera, claro. Aunque el emperador francés hizo algunas cosas buenas y maniobró en gran escala, en este caso quedan claramente al descubierto su sed desmedida de obtener de México un provecho muy grande e inmediato y su pérfido abandono de Maximiliano y Carlota cuando las cosas se pusieron difíciles* (Smart).

Frente a esta conjura diabólica y cómica al unísono existía una nación que, tras haber triunfado ardua y trabajosamente sobre sus propios enemigos, instaurando las reformas democráticas que desarbolaban por fin la colonización, se veía ahora impelida a continuar la pelea por sus libertades, su autonomía y los enormes deseos de progreso y modernidad que llevaba en su interior. El *buque insignia* de esa nación había sido y continuaba siéndolo un indio oaxaqueño, cetrino el rostro y corta la estatura, paradigma de la tenacidad y la constancia, evidencia incuestionable de la claridad de ideas y de la concreción de un destino: Benito Juárez.

La tendencia de ciertos sectores mexicanos hacia el ideario monárquico no era novedad: ya en 1783, el conde Aranda contemplaba, como solución idónea a la ya cercana independencia de las posesiones hispanas en ultramar, la presencia de un triunvirato español de infantes en los proyectados tronos de México, Perú y Tierra Firme. Posteriormente, cuando el virrey O'Donojú llegó a un acuerdo con Iturbide para conceder la independencia a México, éste pretendió sentar en el regio sillón mexicano a un príncipe de la Casa de Borbón, y ese mismo año, *antes de que España se negara de plano a semejante acuerdo y de que Iturbide se nombrara a sí mismo Agustín I emperador de México, una delegación de monárquicos viajó a Europa ofreciendo la corona al archiduque Carlos I de Austria, el vencedor de Asperm y vencido de Wagram, quien cortésmente declinó tal honor.*

Los que facilitaron la intervención gala y la restauración del imperio eran sujetos que militaban en el bando conservador y que vivían en la nube nostálgica de tiempos pasados cuando, bajo la égida del dominio colonial hispano, las clases nobles y los eclesiásticos gozaban de toda clase de privilegios y tenían *patente de corso* para obrar conforme a sus deseos y ambiciones, estrangulando, si se presentaba, cualquier movimiento reivindicativo de la *plebe*. A la vista de que tan colosal etapa difícilmente volvería, trataban de apoyarse en alguna casa real europea que, atenta a extender su dominio colonialista en territorio americano, se aviniera a patrocinar el restablecimiento de la monarquía en México.

José María Gutiérrez de Estrada fue uno de los principales activistas *monárquicos* mexicanos. En 1840, al regresar esporádicamente a la capital, publicó un ensayo de talante ultraconservador que fue prohibido de inmediato por las autoridades, y se vio en la obligación de exiliarse en Europa. Tras casarse con una condesa austríaca y vivir un tiempo en Roma, en 1854, cuando el general Santa Ana deseaba instaurar la monarquía en México, para mover los hilos de la política entre bastidores, encargó a Gutiérrez de Estrada que encontrara un príncipe europeo que se atreviera a participar en una empresa de semejante envergadura.

Otro monárquico convencido fue José Manuel Hidalgo y Esnaurrízar, de quien Sierra dice lo siguiente:

«... hombre de más urbanidad que cultura, no educado, sino *bien educado,* someramente al tanto del movimiento literario y político europeo, de inteligencia mediana, bastante inferior a la que su presunción hacía suponer. Hidalgo Esnaurrízar, como todos los de su casta, tenía un patrimonio fundado en estos dos elementos: aborrecimiento a los *yanquis* y amor a nuestro pasado español. Podemos reunir ambos factores en uno solo: apego absoluto a la religión de los padres: *ubi crux ibi patria,* tal pudo ser su divisa (...). Se sintió armado caballero de las ideas rancias y el nuevo cruzado penetró en los salones y *boudoirs* con arrestos de conquistador de corazones para su causa y para su alcoba; así lo santo y lo dulce se confunden en delicioso consorcio.»

Junto a Gutiérrez de Estrada e Hidalgo, la figura de Juan Nepomuceno Almonte es otra de las más significativas de este monarquismo más o menos artificial de los conservadores mexicanos. Supuesto hijo ilegítimo de Morelos, llegó a ser ministro de la Guerra y embajador en Washington y París. Habiendo sido enviado a Londres como embajador por Comonfort, fue allí donde se inclinó decididamente por el lado conservador. Defenestrado por Juárez, se convirtió en uno de sus más irreconciliables enemigos y sólo regresó a México bajo el amparo de los invasores franceses.

Además de los ya citados Almonte, Hidalgo y Gutiérrez de Estrada, había dos clérigos: Pelagio Antonio de Labastida y Dávalos, arzobispo de Puebla, y el padre Francisco Javier Miranda; el primero deseaba, sobre todo, defender a la Iglesia de la Reforma de Juárez, mientras que el segundo era, más que sacerdote, un político fanático y frío que utilizaba la Iglesia y la ideología católica para acceder a sus turbios propósitos.

La primera vez que se mencionó la posibilidad de crear un imperio mexicano fue en 1858, cuando Hidalgo fue invitado por Napoleón y Eugenia de Montijo a Compiegne. Hidalgo se ganó la confianza de la reina, mientras que Almonte logró la predilección personal del emperador. Los protagonistas europeos de esta contingencia imperial fueron, como se ha venido apuntando, Napoleón III y los príncipes Maximiliano y Carlota. Los ambiciosos proyectos económicos y territoriales de Napoleón le llevaron a financiar en buena parte esta empresa, de por sí muy cara, pero de la que se pensaba resarcir espléndidamente con las riquezas mineras de Sonora y/o con los pingües beneficios aduaneros, con lo que la creación de aquel imperio satélite, latino y católico, le haría competir en cierto modo con la monarquía británica.

Fernando Maximiliano José de Habsburgo (1832-1867) había nacido en el palacio imperial de Schönbrunn, Viena, y era hermano del emperador de Austria, Francisco José (desposado con Elisabeth de Baviera, *Sissi*). En 1857 contrajo matrimonio con la princesa Carlota Amalia, hija de Leopoldo I de Bélgica, tío de la reina Victoria de Inglaterra, joven de diecisiete años. Aunque por un corto espacio de tiempo, Maximiliano fue gobernador de la Lombardía y el Véneto, y con Carlota habitó el exótico palacio de Miramar, construido sobre una roca ante el Adriático, no lejos de Trieste. *Quizá su romántico apetito se despertó al leer la* Verdadera Historia de la Conquista de México, *por Bernal Díaz, quien había entrado en los salones de Moctezuma. ¿No podrían ser recibidos como salvadores, y no podrían llegar a convertirse ellos, Maximiliano y Carlota, en amantes y amados padres de aquellos millones de pobres indios, devotos y amantes de las flores? Una vez el pueblo de México se hubiera levantado y regenerado, y con su vasta riqueza explotada y asequible, ¿no podría México finalmente alzarse, conducido por su emperador, hasta un nivel parecido al de Francia y Austria?* (Smart).

Estaba diáfano que los partidarios de una solución monárquica para México eran escasos; Miramón trató de advertir de tan importante detalle a Napoleón III, pero los intrigantes disfrazaron la realidad, de manera que el regio proyecto siguiera adelante. Aunque la propuesta de Maximiliano para el trono de México se la disputaban Hidalgo y Gutiérrez de Estrada, resulta verosímil que fuera este último quien elevara la candidatura primeramente, dada su reverencia por el archiduque. La nominación fue bien recibida por el monarca francés, ya que de esta forma tranquilizaba a los Habsburgo, cuyas tropas había derrotado en la campaña de Italia y cuyo apoyo necesitaría, sin duda, muy pronto, si, como se esperaba, tomaba carta de naturaleza un enfrentamiento con la Alemania de Bismark. Sin embargo, Francisco José no veía con buenos ojos, ni factible, la aventura imperial mexicana.

Cuando Maximiliano conoció las intenciones napoleónicas —octubre de 1861— y Gutiérrez de Estrada le ofreció el trono mexicano, éste dijo a su contertulio que aceptaría, siempre y cuando Francisco José le autorizara, si Francia y Gran Bretaña otorgaban su aquiescencia al proyecto y *si el pueblo de México, en un plebiscito, le ofrecía el trono.* En los meses siguientes Maximiliano recibió diversas advertencias admonitorias, pero también apoyos que le animaban a seguir la empresa. Pese a los esfuerzos de Leopoldo I, los ingleses retiraron su visto bueno a la aventura francesa e incluso ofrecieron el trono de Grecia a la joven pareja, pero el Habsburgo declinó la invitación. También los estadounidenses, aún inmersos en la contienda fratricida Norte-Sur, advirtieron por boca de Lincoln, presidente norteño, que en aplicación de la doctrina de Monroe, cuando concluyera la contienda secesionista, obligarían a Napoleón III a retirar sus fuerzas invasoras. *Cuando ese ejército esté fuera* —había dicho el presidente abolicionista— *los mexicanos se cuidarán de Maximiliano.*

Aunque el fracaso bélico del 5 de mayo de 1862 demoró el momento de la instauración de la monarquía en México, ésta llegó cuando el 10 de junio de 1863 los efectivos galos comandados por Forey penetraron en la capital mexicana. El procedimiento ideado para situar en el poder el régimen monárquico fue que Saligny nombrara una Junta Superior de Gobierno compuesta por 35 ciudadanos autóctonos, que nombrarían a su vez una terna ejecutiva y una

Asamblea de Notables formada por 215 miembros. Figuraron en la terna Almonte, el arzobispo Labastida y el ex presidente Mariano Salas; el 8 de julio la Asamblea de Notables proclamó la monarquía ofreciendo el trono a Maximiliano de Habsburgo o a otro príncipe del agrado de Napoleón III, en caso de que el austríaco renunciara. De producirse cualquier contrariedad a los planes establecidos, el triunvirato se haría cargo de la regencia del país. En consecuencia, el 3 de octubre de 1863 Gutiérrez de Estrada estableció el protocolo oficial de ofrecimiento del trono de México a Maximiliano de Austria, *que, naturalmente, aceptó, con la condición, exigida esta vez por su hermano Francisco José, de que la oferta fuera plebiscitada afirmativamente por el pueblo mexicano.*

Juárez y su gabinete, que habían tenido que salir de la capital por piernas dirigiéndose a San Luis Potosí, pasando por Querétaro y Dolores, se aprestaban a estudiar una solución para el gravísimo problema que acababa de planteárseles. Al llegar a San Luis, don Benito expidió un manifiesto a la nación, en los siguientes términos:

> *Por graves consideraciones ligadas con la defensa de la nación, mandé que nuestro ejército evacuase la ciudad de México, sacando los abundantes materiales de guerra que allí teníamos aglomerados y ordené que la ciudad de San Luis Potosí fuese, provisionalmente, la capital de la República.*
>
> *La primera de estas resoluciones quedó luego cumplida, y acaba de serlo también la otra, por la instalación del Supremo Gobierno de esta ciudad, que tantas facilidades presta para promover la guerra contra el enemigo de nuestra grande y querida patria.*
>
> *En México, lo mismo que en Puebla de Zaragoza, hubiésemos rechazado a los franceses y cedido luego a la invencible necesidad. Pero no convenía elegir de grado estas situaciones adversas, aunque gloriosas, ni atender tan sólo a nuestra honra, cual si hubiéramos desesperado de nuestra fortuna.*
>
> *Reconcentrado el enemigo en un punto como ahora, será débil en los demás y diseminado será débil en todas partes. Él se verá estrechado a reconocer que la República no está encerrada en las ciudades de México y Zaragoza, que la animación y la vida, la con-*

ciencia de derecho y de la fuerza, el amor a la independencia y la democracia, el noble orgullo sublevado contra el único invasor de nuestro suelo, son sentimientos difundidos en todo el pueblo mexicano y que esa mayoría sujeta y silenciosa, en cuyo levantamiento cifraba Napoleón III el buen éxito y la justificación del mayor atentado que ha visto el siglo XIX, no pasa de una quimera inventada por un puñado de traidores.

Se engañan los franceses creyendo enseñorearse de la nación al sólo rumor de sus armas, y cuando pensaron dar cima a su empresa imprudentísima, violando las leyes del honor, y cuando se dijeron señores de Zaragoza por haber ocupado el fuerte de San Javier.

Ahora se engañan miserablemente, lisonjeándose con dominar el país, cuando apenas comienzan a palpar las enormes dificultades de su desatentada expedición; porque si ellos han consumido tanto tiempo, invertido tantos recursos y sacrificios, tantas vidas, para lograr algunas ventajas, dejándonos el honor y la gloria en los combates numerosos de Puebla, ¿qué pueden esperar cuando les opongamos por ejército nuestro pueblo todo y por campo de batalla nuestro dilatado país? ¿Quedó señor de España Napoleón I porque tomó Madrid y a muchas ciudades del reino? ¿Lo quedó de Rusia después de ocupar Moscú? ¿No fueron echados con ignominia los ejércitos invasores de esos pueblos? ¿No hicimos lo propio con la facción del retroceso, aunque tuvo en su poder nuestra capital? ¿Y en cuál de nuestras poblaciones no derrocamos a España? (Zayas).

El manifiesto evidenciaba claramente cuáles habían sido las intenciones del ejecutivo al salir de la capital, a la vez que tomaba la magnitud de patriótica arenga, invitando a todo el país a organizar la resistencia y el contraataque al invasor. Instalado en San Luis Potosí, reorganizó el oaxaqueño su gobierno, incorporando al mismo a Juan Antonio de la Fuente (Relaciones), Sebastián Lerdo de Tejada (Justicia), José María Iglesias (Hacienda) e Ignacio Comonfort (Guerra).

En México, la Regencia se estaba esforzando para resolver innumerables problemas, entre otros las propiedades de la Iglesia, y, por supuesto, en verificar *cuantos plebiscitos consideró necesarios, antes de informar a los comisionados que se encontraban en Europa que*

Maximiliano había obtenido la abrumadora mayoría a la que condicionaba su aceptación. Todo esto, sumado a la sustitución del general Forey, que fue nombrado mariscal por el general Bazaine, hizo que la actividad militar prácticamente se paralizara hasta el inicio del año próximo, 1864, lo que fue muy de agradecer por el legítimo presidente de la República de México y también por sus generales, que gozaron de una tregua que les permitió, sino conforme a sus deseos, sí reorganizar, con menos precipitaciones de las esperadas, un ejército con respuesta y efectivos equivalentes al de los franceses.

Maximiliano y Carlota creían, o al menos así lo parecía, las noticias procedentes de México que arengaban su triunfo en el plebiscito, lo que les llevó a celebrar el evento como si de una segunda boda se tratara. El joven e inexperto emperador y Napoleón III hicieron una serie de pactos y componendas, la mayoría secretos, referentes a la retirada de las tropas galas, el pago de los cuantiosos gastos realizados hasta entonces, etc., al tiempo que en Inglaterra solicitaba, obteniéndolos, préstamos de enorme envergadura con intereses, era obvio, igualmente extraordinarios. La alegre y circunstancial exultación iba a quedar, en parte al menos, disminuida a causa de los consejos que desde diversas fuentes advertían a Maximiliano de los peligros a que iba a enfrentarse aceptando aquella irresponsable aventura. Frente a eso, la actitud del Habsburgo era *comparable a la del novio asaltado por las dudas cuando se encuentra ya ante el altar, pero que no se atreve a volver atrás por miedo al escándalo.*

Por si esas severas advertencias fueran poco, su hermano Francisco José le exigió, con la autoridad que su regio cargo le confería, que renunciara en nombre propio y en el de sus descendientes a todos sus derechos al trono de Austria, con lo que a Maximiliano sólo le quedaba la posibilidad de reinar en México. El 14 de abril de 1864 Maximiliano y Carlota embarcaron en la fragata austríaca *Novara,* en su residencia de *Miramar;* el 28 de mayo amarraban en Veracruz, comenzando así su bufonada mexicana.

El Gobierno de Juárez, después de haber residido algún tiempo en San Luis Potosí, se trasladó a Saltillo, capital del Estado de Coahuila, donde estuvo hasta febrero de 1864, fecha en que pasó a

Nuevo León, en cuya capital, Monterrey, fue donde se hallaba don Benito cuando recibió la famosa carta de Maximiliano invitándole a trasladarse a la capital de México (la respuesta de Juárez a Maximiliano se ha transcrito íntegramente en la *Introducción* de la presente biografía). Allí mismo, el 13 de junio de ese año, nacería su último hijo, Antonio: pero poco después, para evitar que los suyos sufrieran cualquier daño, visto el hostigamiento a que estaba sometido el presidente por las fuerzas napoleónicas, envió a Margarita y a sus hijos a Estados Unidos.

Por aquel entonces se recibió, siendo difundida por todos los pueblos y ciudades de la República, una encendida proclama de Víctor Hugo*:

---

* Víctor María Hugo (1802-1885). Escritor francés nacido en Besançon. Su padre, que se encumbró al generalato en los ejércitos de la Revolución y del Imperio, llevó consigo su familia al reino de Nápoles y de España, donde recibió un condado del rey José Bonaparte: un *castillo en España* que Víctor Hugo se tomó muy en serio. Niño prodigio, era a los 23 años uno de los poetas oficiales de la restauración borbónica y como tal asistió a la coronación de Carlos X en Reims (1825). En 1830 asumió la jefatura del *Cénacle,* círculo social de los románticos, y de toda la escuela romántica, sobrepujando a sus gloriosos hermanos mayores: Chateaubriand, Lamartine y Vigny. El lapso 1827-1842 fue un período de increíble actividad y triunfos en todos los géneros literarios: en poesía, *Odes et Ballades* (1822-1826), *Les Orientales* (1829), *Les Feuilles d'Automne* (1831), *Chants du Crépuscule* (1835), *Les Voix Intérieures* (1837), *Les Rayons et les Ombres* (1840); en el teatro, *Cromwell* (1827), con un extraordinario prefacio doctrinal; *Hernani* (1830), en cuya primera representación se libró una dura batalla seguida de brillante victoria para la *nueva escuela* y su joven jefe; *Marion Delorme* (1829-1831) y *Ruy blas* (1838); en novela, *Notre-Dame de Paris* (1830), gloriosa evocación de la ciudad medieval. Después, entristecido por la muerte de su hija preferida y descorazonado por el fracaso de su drama histórico *Les Burgraves* (1843), abandonó la literatura por la política. Jefe de la oposición radical, vivió en el destierro, principalmente en Guernsey (islas del Canal), hasta el fin del II Imperio. El destierro abrió en la producción de Víctor Hugo un nuevo y más importante período: en la poesía, *Les Châtiments* (1852), sátira política; *Les Contemplations* (1856), elegiaca en su primera parte y filosófica en la segunda, y la impresionante *Légende des Siécles* (1859-1883), vasta colección de mitos y leyendas épicas que no ha sido igualada todavía en la literatura moderna por su amplitud, fuerza y belleza; en la novela, *Les Misérables* (1862), monumental fresco histórico; *Les Travailleurs de la Mer* (1866) y *L'Homme qui rit,* en que su desbordada fantasía alcanzó los límites de lo barroco y aun de lo grotesco. Con la caída del Imperio (4 de septiembre de 1870), Víctor regresó a París en triunfo pero hubo de soportar las penalidades del asedio de la *Commune* (1871). Dio una apasionada versión poética de esta

¡Mexicanos! Tenéis la razón y yo estoy con vosotros.
Podéis contar con mi apoyo.
Y habéis de saber que no es Francia la que os hace la guerra, es el Imperio.
Estoy de veras con vosotros, porque todos estamos frente al Imperio: vosotros en México y yo en Europa.
Vosotros en la Patria y yo en el destierro.
Combatid, luchad, sed terribles, y si creéis que mi nombre vale para algo, servíos de él.
¡Apuntad a la cabeza de ese Imperio con el proyectil de la libertad!
¡Valientes hombres de México, resistid a la perfidia y a la traición!
Y si así lo hacéis, ¡venceréis!
Pero sabed que, vencedores o vencidos, Francia será siempre vuestra hermana en vuestra gloria como en vuestra desgracia.
Yo, por mi parte, envío a los vencedores mexicanos mi fraternidad de ciudadano libre y, si vencidos, mi fraternidad de proscrito.

Si Maximiliano y Carlota habían llegado a Veracruz el 28 de mayo, el 12 de junio de 1864 se hallaban ya en México. Tras haber recibido una bienvenida aparatosa y absurda, supuestamente digna de un emperador, al cabo de pocas fechas conseguían, mediante dos decretos, la más completa impopularidad, incluso entre sus propios incondicionales: *los conservadores.* Por el primero de los decretos, el monarca se concedía a sí mismo unos emolumentos anuales de 1.500.000 pesos, más otros 200.000 a la emperatriz; por el segundo se ordenaba a los funcionarios que trabajaran todos los días, domingos y festivos inclusive, salvo el jueves y viernes de Pentecostés, el día del Corpus Christi, el 16 de septiembre, el 12 de diciembre y

crisis en *L'Anneé Terrible* (1872). Con la victoria final de la República (1876) se convirtió en figura nacional, el poeta laureado de la democracia, el «sumo pontífice» del librepensamiento religioso, el apóstol de la justicia social, el patriota que proféticamente saludó a los Estados Unidos de Europa. Prosiguió su tarea literaria escribiendo: *Quatre-Vingt-Treize* (1873), novela de la Revolución, y una serie de poemas líricos, épicos, satíricos y dramáticos que son el fruto óptimo de esa época de productividad casi juvenil. Muy amante de los niños, fue venerado como el «abuelo universal» (*L'Art d'Être Grand-Père,* poemas, 1877). Sus funerales constituyeron una impresionante ceremonia de duelo popular, su cadáver estuvo expuesto bajo el Arco del Triunfo, y el Panteón se abrió de nuevo para recibir sus restos mortales.

el día de Navidad. Era un disparate gigantesco, por no decir una provocación descarada, que en un país endeudado hasta la médula un rey advenedizo se asignara un sueldo de semejante magnitud, pero, a la vez, disponer en un estado tan profundamente católico que los empleados del Gobierno faltaran al precepto dominical era, amén de una absurda inexperiencia y una flagrante falta de sentido común, una medida totalmente improcedente.

El talante militar de los republicanos continuaba siendo fatal de necesidad, aunque, en líneas generales, la estrategia ordenada por el presidente fue la de no presentar abierta batalla a las fuerzas invasoras o a las de los traidores intolerantes, sino ofrecer una resistencia flexible y un constante y machacón hostigamiento a la tropa monárquica. De todas formas, no siempre existió la favorable posibilidad de aplicar dicha estrategia: tal fue el caso de la derrota de Matehuala. Un pequeño ejército al mando del general Doblado debía defender una determinada línea que pasaba entre los Estados de San Luis Potosí, Nuevo León y Coahuila. El 13 de mayo de 1864 se supo que Doblado estaba corriendo el riesgo de quedar encajonado por las tropas de Mejía, por lo que, el militar republicano, atacó Matehuala y la Mina Catorce, pero al desencadenarse el avance de Mejía ya tenía noticias de esas intenciones y tuvo tiempo de recibir refuerzos franceses procedentes de San Luis Potosí. El resultado fue una aparatosa debacle en la que el ejército de Doblado contabilizó la pérdida de 1.200 vidas y toda su artillería.

Muchos de los inconvenientes a los que tuvo que enfrentarse Juárez eran reales, palpables: económicos, militares, políticos, etc.; pero algunos de los más graves eran absolutamente irreales: se trataba de mentiras acerca de las intenciones del propio oaxaqueño para abandonar México o de hipotéticos fracasos de la milicia republicana; esas falsedades y los auténticos problemas que afectaban al ejecutivo reformista estaban minando la moral de muchos. Los temores de que don Benito escapara a Estados Unidos se fundaban indudablemente en los preparativos que se estaban realizando respecto a la marcha de su familia hacia este país, porque, en efecto, los deudos de Juárez, como ya se ha dicho, se habían visto incrementados con la presencia de un nuevo hijo, y con un bebé de su primogénita y de Santacilía, convirtiéndose realmente en una verdadera *tribu.* Cuando ya estuvo todo organizado salieron los familiares del presidente protegidos durante una etapa del periplo por un destacamento de caballería de Ortega. Benito acompañó a los suyos desde Monterrey hasta el pueblo de Cadereyta, de donde seguirían hasta Matamoros y después ya rumbo a Norteamérica. En el *Diario* (que no *Apuntes*) de Juárez se lee en la fecha del 12 de agosto: *Se fue la familia a Matamoros.*

El año que siguió a la salida de Juárez, sus ministros y algunos funcionarios y amigos de Monterrey, puede considerarse como el gozne sobre el que giró la situación político-militar del Imperio y su intervención en México; si los primeros meses fueron calamitosos y de un profundo desánimo para los republicanos, los últimos del año 1865 habrían de ser el principio del fin del Imperio. Maximiliano y Carlota, inexpertos hasta la cretinez, cayeron en las falacias de unos y otros y su tragedia dio comienzo en el mismo instante en que los jóvenes emperadores de México pusieron los pies en Veracruz. Ni uno solo de los prohombres que les habían embaucado para que aceptaran el regio sitial se encontraba en el puerto veracruzano aguardándoles: ni siquiera Almonte. Con independencia de que su carruaje sufriera un vuelco en el camino hacia la capital, los recibimientos en las ciudades de Puebla y México sí fueron cálidos, pero tampoco intuyeron que tras aquella efusión existía un evidente malestar; el engaño se prolongaría durante un largo período de tiempo. En la noche del 15 de septiembre de 1864 el joven emperador se encontraba en Dolores Hidalgo ante una multitud de indios pronunciando un discurso en su torpe español que provocaría el mayor de los entusiasmos en la población. La ingenuidad del Habsburgo era tal, que exultante de satisfacción le escribió a su hermano:

«Puedes imaginar cuán cohibido me sentía ante aquella apretada muchedumbre silenciosa y atenta. Todo fue bien, gracias a Dios, y el entusiasmo fue indescriptible.»

La táctica era tan antigua como la propia creación y se repetiría hasta la saciedad a través de los más variopintos ciclos históricos, organizados y controlados siempre (aquellos actos de fervor multitudinario) por los regímenes dictatoriales y oligárquicos: las masas embadurnadas por el fango de la miseria se prestan fácilmente a esos juegos malabares de los poderosos y no regatean vítores y aplausos, a cambio de unas monedas, que les permiten momentáneamente olvidar la opresión de que son víctimas por parte de aquellos a quienes aplauden y vitorean.

Maximiliano, torpe hasta la saciedad y ensoberbecido (todo hay que decirlo) hasta la enésima potencia, ebrio de poder y absurdamente seguro de sí mismo y de los que le habían elevado al trono de México, se empecinó en crear una corte al más puro y versallesco estilo europeo; encerrado en el palacio nacional, *en el vasto edificio administrativo que todavía es hoy, pues las reformas no lograron darle aspecto residencial,* se dedicó a adquirir y edificar otras residencias, todas ellas extraordinarias, con excelentes y frondosos jardines de corte francés, como Chapultepec, Orizaba y Cuernavaca. El propio monarca, incluso antes de llegar a México, todavía a bordo de la fragata *Novara,* hizo un complicado ensayo ceremonial para la corte mexicana. No obstante y pese a aquellas salidas de tono, el talante de la joven pareja era más bien sencillo: se propusieron vivir como los mexicanos, pero eso era precisamente lo que los mexicanos no esperaban que hiciera. Sus partidarios, *monárquicos* de gabinete, habían creado una imagen del imperio que no se correspondía con los hábitos simples y ajenos al boato y protocolo regio de Maximiliano y Carlota: *un emperador y una emperatriz debían vivir y comportarse como tales; con el fausto y la pompa inherentes a su elevada posición* (viene a cuento aquello de que *la mujer del César no sólo tiene que ser, sino también que aparentar*). Por otra parte, un cierto espíritu liberal en el ánimo de Maximiliano le precipitaba al error reiteradamente, errores graves en ocasiones, que se contraponían con el ideario de quienes le habían elevado a la dignidad de emperador de México. A los liberales moderados les trataba casi como si fueran sus *amigos,* llegando al extremo de que en alguna ocasión concedió los ministerios de Relaciones y de la Guerra a distinguidos *liberales,* con el consiguiente disgusto y malestar de los conservadores.

Los patinazos políticos del austríaco fueron de libro; baste un ejemplo: cuando los reaccionarios, pero muy en especial destacados miembros del clero como lo eran monseñor Labastida (arzobispo) y el nuncio de Su Santidad, su eminencia Meglía, esperaban anhelante la vuelta al *status* anterior a la *Ley Juárez*, quedaron atónitos al encontrarse con un decreto que venía, prácticamente, a confirmar todas y cada una de las leyes de la Reforma, con lo que de una sola tacada se granjeó la enemistad del clero mexicano en peso, de los radicales y de la emperatriz Eugenia de Montijo, sin que, en compensación, los republicanos le apoyaran en lo más mínimo, *porque incluía una cláusula referente a la restitución de las propiedades obtenidas de* forma irregular, fraudulenta, *y, principalmente, porque los verdaderos liberales no concedían a Maximiliano de Habsburgo derecho, ni autoridad, ni credibilidad algunos, para decretar nada* (Smart).

Una mezcla de ingenuidad, nula habilidad política, engaño y crueldad, condujo al austríaco a promulgar un decreto que, sin duda, le abrió de par en par las puertas de su sepultura. Según el informe francés, Juárez había escapado a Estados Unidos abandonando la causa republicana. En consecuencia, el 3 de octubre de 1865, promulgó un decreto redactado al principio en estos términos:

«La causa que con tanto valor y constancia sostuvo don Benito Juárez había sucumbido ya, no sólo a la voluntad nacional, sino ante la misma ley que este caudillo invocaba en apoyo de sus títulos. Hoy hasta la bandería en que degeneró dicha causa ha quedado abandonada por la salida de su jefe del territorio patrio.»

Para rematar el desatino, decía a continuación que todas aquellas personas que empuñaran las armas contra el imperio serían ejecutadas sumarísimamente; poco después fueron capturados dos generales republicanos, José María Arteaga y Carlos Salazar; se ejecutó a ambos generales, juntamente con dos coroneles y un sacerdote, con lo cual la débil posibilidad de llegar a un acuerdo honroso al final de la contienda se esfumaba como por ensalmo.

En honor a la pura verdad, y como ya se ha repetido en varias ocasiones a lo largo del presente capítulo (y en otras secuencias de la obra), los jóvenes y hasta cándidos emperadores habían sido víctimas propiciatorias del engaño y la falacia, de la traición adornada y encubierta... Y caído en un sinnúmero de trampas: la de Napoleón III para empezar, la de los eufemísticos *monárquicos* mexicanos, y en la maraña de intrigas de sus *amigos lugareños,* que les habían envuelto en un sinfín de sucios enredos que acabarían llevando al matrimonio, de manera inexorable, hacia su ruina personal, hacia el fatídico desenlace de sus vidas.

Porfirio Díaz fue durante este período franco-imperial uno de los protagonistas heroicos que alcanzó más altas cotas de popularidad; en 1864, el general Díaz dominaba la situación en la patria chica de Juárez (Oaxaca). Contra él organizó Bazaine una fuerza expedicionaria con nueve mil efectivos austriaco-franceses y mil traidores mexicanos, fuerza a la que Porfirio sólo podía oponer un ejército de dos mil ochocientos hombres. La artillería gala, emplazada en monte Albán y otras colinas que envolvían Oaxaca, bombardeaba machaconamente la ciudad, hasta que el 8 de febrero de 1865 Díaz se rindió. Encarcelado en distintos lugares, en septiembre de 1865 Porfirio conseguiría escaparse buscando refugio en el estado de Guerrero, donde, partiendo nuevamente de cero, consiguió organizar una guerrilla que puso otra vez en aprietos a las fuerzas invasoras.

Pero, por esos guiños irónicos del destino, lo trascendental para la supervivencia del imperio estaba sucediendo lejos de allí, en tierras del Norte: el 9 de abril de 1865 Roberto Eduardo Lee, general en jefe del ejército confederado, se rendía a su compañero y enemigo Ulisses Sympson Grant, poniendo fin, con este acto, a la conflagración secesionista. Con Abraham Lincoln afianzado como nunca en la más alta magistratura estadounidense, los augurios para la aventura imperial francesa se tornaban agoreros. De todas formas, el presidente abolicionista no estaba dispuesto a que sus súbditos se embarcaran en un nuevo esfuerzo bélico, por muchas simpatías que le inspirara Juárez y lo que éste significaba y representaba. Sin embargo, el inesperado asesinato de Lincoln (recibió un tiro en la nuca, la tarde del 14 de abril de 1865, disparado por un tal John Wilkes Booth, actor fracasado) reabría la cuestión. *Maximiliano, por medio de un mensaje personal, envió una carta al nuevo presidente, Andrew Johnson, quien no quiso recibir ni al mensajero ni el mensaje.*

En vista de cómo se desarrollaban los acontecimientos, Napoleón III ordenó a Bazaine que concentrara sus ejércitos en posiciones estratégicas que permitieran una segura defensa ante un posible ataque procedente de Estados Unidos, con lo que numerosas ciudades fueron ocupadas de nuevo por los republicanos, la situación de cuyo bando durante todo este tiempo (desde que don Benito y el ejecutivo abandonaran Monterrey el 15 de agosto de 1864) rozaba lo deplorable, aunque, eso sí, nunca desesperada, porque el extraordinario temple del presidente se transmitía, casi sin él quererlo, a todos sus colaboradores y amigos, y el continuo desplazarse de un punto a otro era asumido no sólo como algo natural, sino *como algo que jugaba a su favor,* ya que, conforme transcurría el tiempo, la situación del imperio y los monárquicos se iba deteriorando paulatinamente. El infatigable trasiego era farragoso para el Gobierno, porque donde iba éste iban los archivos nacionales; por último, se liberaron de tan pesada carga cuando don Benito los entregó a ocho seguidores de absoluta fidelidad a la causa y confianza, en el pueblo de Garduño, al oeste de Saltillo. Aquellos hombres supieron guardar con celo inefable, con reverente escrupulosidad, los archivos en sitios diversos, hasta que en 1867 pudieron devolverlos al Gobierno Federal.

Independientemente de los aconteceres políticos al finalizar el enfrentamiento bélico de abolicionistas y confederados en Norteamérica y del asesinato de Abraham Lincoln, el sentimiento generalizado entre los estadounidenses era favorable a Juárez y su ideario. Y acaeció por esa razón que numerosos agentes reclutaban voluntarios que desearan incorporarse a la lucha armada de don Benito y sus liberales contra las fuerzas austríaco-francesas, lo cual implicaba el paso de abundante material de guerra y efectivos humanos, así como beneficios y prestigio para los mexicanos que estaban inmersos en aquel quehacer.

No obstante, y a pesar de los pesares, la presión de las tropas invasoras contra Juárez y su causa no cesaba; en julio de 1865 el ejército imperial inició una feroz ofensiva sobre el estado de Chihuahua, de forma que el 5 de agosto de nuevo (*y para variar*) don Benito y su séquito tuvieron que largarse de allí, con presteza, dirigiéndose a El Paso del Norte, muy cerca de la frontera, prácticamente en ésta. El 13 las tropas de Maximiliano penetraban triunfadoras en la capital. *El territorio que se extiende desde Chihuahua hasta la frontera es un desierto arenoso, por lo que la retirada de Juárez y sus colaboradores, bajo un sol de fuego, a Río Bravo, el último cartucho de la República, debió ser el más penoso de los viajes que en su vida realizaron. Llegaron allí el 14 de agosto de 1865* (Smart).

El problema de la sucesión del general Ortega en la presidencia de la República se había podido sortear en diciembre de 1864, pero un año después le explotó en las manos al oaxaqueño de manera irreversible; durante ese año todos sabían con certeza que Ortega iba a renovar sus pretensiones, dado su talante ambicioso y muy capaz de movilizar otros políticos y militares para que apoyaran su deseo, lo que podía poner a la República entre la espada y la pared (otra guerra civil), y en tales circunstancias el final de la Reforma podía ser una triste realidad y, en consecuencia, el triunfo decisorio y afianzamiento del imperio de Maximiliano. El problema en sí residía en el mismo Ortega, era obvio, porque, si el sucesor de Benito hubiera sido Lerdo, no se hubiera planteado contrariedad alguna: sencillamente, el oaxaqueño hubiera cesado para dar paso a Lerdo en la presidencia interina de la República. Pero con Ortega la cosas eran diferentes, ya que no sólo se había manifestado como un militar mediocre y hasta incompetente, sino que *como gobernador demostró con creces su supina ignorancia de las leyes y la indiferencia que le inspiraban. Se trataba de un tipo falso y sensible a la adulación y, sobre todo, se desmoralizaba fácilmente. (...) Juárez ignoraba, al parecer, aunque pudo muy bien haberlo sospechado, que los franceses consideraban la posibilidad de llegar a un acuerdo con Ortega para reemplazar a don Benito en condiciones claramente favorables para ellos y que Ortega había tomado ya sus medidas en este sentido* (Smart).

Durante el período que Ortega pasó en Estados Unidos, 1865, había dado muestras inequívocas de su inconsistencia moral y su pasión incontrolada por el dinero. Los comunicados que llegaban hasta México así lo corroboraban, de forma que por parte de Juárez era una auténtica barbaridad pensar siquiera en ceder el mando a una persona tan irresponsable y mezquina. En una misiva a su yerno, queda expresada con claridad diáfana cuál era la opinión que Ortega le merecía al oaxaqueño:

«Quedo impuesto de la especulación de G. Ortega, que no extraño, porque hace tiempo ha dado a conocer su afición al dinero y ningún escrúpulo en elegir los medios para conseguirlo. Esa afición es uno de los móviles que lo hacen delirar por la presidencia de la República, la que considera como un medio de enriquecerse y satisfacer todos sus vicios. En esta materia, Ortega es de la escuela de don Antonio López de Santa Ana.»

Benito seguía dándole vueltas y más vueltas a la situación en busca de una forma de solucionarla, y mientras meditaba el tiempo iba transcurriendo, sin que encontrara la decisión oportuna y definitiva. Pero, finalmente, hubo de decidirse, y lo hizo en noviembre por medio de tres decretos: uno, publicado el día 3 de este mes, y otros dos, el 8. De acuerdo con el primero, se ordenaba el arresto de todos los oficiales que estuvieran fuera del país sin el correspondiente permiso, y de aquellos otros que, aun teniéndolo, hubieran estado ausentes más tiempo del exigido para realizar la misión para la que partieran. *El día 8 de noviembre, Juárez, asistido por Lerdo, firmó dos decretos más específicos e importantes que el anterior. En el primero, actuando bajo los poderes extraordinarios que le habían sido conferidos por el último Congreso, Juárez amplió la duración del mandato del presidente de la República y el del presidente del Tribunal Supremo hasta el fin de la guerra, pues sería sólo entonces cuando podrían celebrarse elecciones. La promulgación de ambos mandatos era una necesidad legal, ya que era evidente que Juárez no podía dejar que Ortega continuara ocupando su cargo permaneciendo como posible heredero suyo a la suprema magistratura de la nación. (...) En consecuencia, Juárez, en el segundo de los decretos del 8 de noviembre, declaró que Ortega había abandonado su cargo de presidente del Tribunal Supremo al aceptar la gobernación del estado de Zacatecas, lo que no pasaba de ser una argucia legal si se tiene en cuenta la frecuencia con que un mis-*

mo hombre desempeñaba, anticonstitucionalmente si se quiere, varios cargos gubernamentales a la vez (Smart).

De esta guisa, pues, Juárez prolongó su mandato ordenando a Ortega regresar al país para ser juzgado por abandono del servicio. Aunque don Benito puso en práctica estas medidas (¿impopulares?) esperando ser muy criticado, encontró fácil apoyo en la mayoría de sus seguidores, aunque algunos antiguos amigos suyos se separaron, a partir de aquel momento, de su lado. Entre éstos se encontraban Prieto y Ruiz: el primero, al cabo de los años, ya en México, se reconcilió con Juárez, *convirtiéndose en un poeta laureado y en anciano majestuoso, bajo el porfiriato, y murió en 1897;* en cuanto a Ruiz, se retiró a la vida privada, falleciendo en 1871.

Ortega, como era de suponer, no aceptó los planteamientos de don Benito: *el 26 de diciembre suscribió un documento por el que discutía la validez legal de los decretos, a la vez que pretendía que sus gestiones en los Estados Unidos, por cuenta del Gobierno mexicano, no podían ser consideradas como deserción* (Smart). No obstante, y de vuelta en México, 1868, reconoció a Juárez como presidente, ofreciendo exiliarse voluntariamente, a lo que se opuso el mismo Benito; José González Ortega moriría en 1881.

En los meses finales de 1865, Juárez, prácticamente con la única compañía de Lerdo e Iglesias, continuaba manteniéndose berroqueño, *firme como una roca,* en aquella menuda y casi ignorada ciudad del Norte, pero a la vez diversos aconteceres internacionales irían contribuyendo a que la intolerable aventura imperialista en México viera precipitado su triste y vergonzoso final. El presidente norteamericano Johnson envió a la frontera con México un ejército que alcanzó la exorbitante cifra de cien mil efectivos humanos, cuya presencia no sólo alarmó (motivos los tenía sobrados) a Bazaine (y también a Maximiliano, obviamente), sino que permitía que, por ejemplo, el general Sheridan abandonara a lo largo de la orilla del río grandes cantidades de armamento y municiones que declaraba como *inservibles,* no sin antes asegurarse de que los mexicanos estaban al tanto de la *operación.*

Por otra parte, en abril de 1866, Napoleón III, concreta y correctamente informado de cómo se desarrollaban los acontecimientos en México (y atento a las lesiones que un fracaso bélico podían reportarle a Francia, ya a nivel económico, político y de prestigio) y temeroso del más que posible intervencionismo estadounidense y bajo la terrible amenaza europea que el crecimiento de Prusia evidenciaba, decidió dar por concluida la odisea de ultramar, retirando el ejército francés en tres etapas: en noviembre de 1866 y en marzo y noviembre de 1867. Seward, en un comunicado del 12 de febrero, garantizaba al emperador francés que cuando las fuerzas galas abandonaran México el ejército norteamericano no penetraría en territorio azteca para ayudar a Juárez. Como ya había pronosticado el tristemente desaparecido Abraham Lincoln, una vez retirados los franceses, los propios mexicanos darían buena (o mala) cuenta de Maximiliano de Habsburgo, sin necesitar la ayuda de nadie.

Pero aún cabría considerar el peligro de que Austria decidiera *echar una mano* al emperador advenedizo: las presiones de Seward por una parte y la guerra contra Prusia de otra, en la que después de dos meses Bismark derrotó finalmente a los austríacos, hicieron que ese peligro no pasara de ser una remotísima hipótesis. Maximiliano de Austria se había comportado con una ingenuidad rayana en lo absurdo en aras, tampoco hay que ocultarlo, de unas ansias de poder y una ambición hasta cierto punto propias de un joven que había nacido con un título en el bolsillo, pero que no tenía demasiado claro qué hacer con él hasta que le propusieran convertirse, nada más y nada menos, que en emperador de México; pero, pese a todo esto, no podía considerársele un imbécil, razón por la cual llegó un momento en el que, consciente de la auténtica gravedad de los hechos y circunstancias en los que estaba inmerso, tuvo el suficiente sentido común como para entender que debía abdicar: en julio de 1866 estaba dispuesto a ello *y si no lo hizo fue porque Carlota, siempre más ambiciosa y decidida que su marido, le disuadió apelando a su sentido del honor como soberano.* En un intento desesperado por resolver el problema, decidieron que Carlota viajara como embajadora a Europa, y especialmente a Francia, para pedir más ayuda a Napoleón (9 de julio de 1866), tentativa que se convirtió en un rotundo fracaso. La negativa del emperador francés de seguir ayudando la causa de Maximiliano la supo éste en octubre de

1866, siendo informado al mismo tiempo de la enfermedad de su esposa, razón por la cual, y porque también él se sentía muy delicado de salud, decidió trasladarse a Orizaba dispuesto a abdicar; sin embargo, el clima semitropical del lugar (que le hizo sentirse mucho mejor físicamente) y la presión continuada de quienes, si el emperador desaparecía, desaparecían ellos con él, le llevaron a reconsiderar su postura inicial, decidiendo seguir adelante, regresando a México, donde sus diferencias con Bazaine, que se acentuaban por segundos, le hicieron apoyarse en los generales Márquez y Miramón. El 5 de febrero de 1867 Bazaine, al frente del último destacamento del ejército francés, abandonaba la ciudad de México; contemplando su partida desde una ventana, Maximiliano exclamó: *¡Por fin soy libre!*

A finales de diciembre Miramón reunió un pequeño ejército de unos quinientos efectivos como máximo y dos piezas de artillería, dirigiéndose con ellos al Norte desde la ciudad de México y, habiendo reunido otras fuerzas imperiales por el camino y burlado hábilmente a Escobedo, cayó sobre Zacatecas el 27 de enero sorprendiendo a Juárez y su Gobierno, que escaparon por puro milagro de caer en manos del general imperialista. En ese acto tuvo una importancia singular la intervención de la *Legión de Honor* estadounidense; un miembro de ella, George W. Blasdell, dijo más tarde:

> **«Muchos oficiales de Juárez nos concedieron el mérito de haberlos salvado la vida en la batalla de Zacatecas. Mientras los soldados mexicanos se retiraban, nos precipitamos hacia la ciudad atacando a las tropas francoaustríacas mandadas por el hermano del general Miramón y las mantuvimos a raya, de modo que Juárez pudo escapar sin riesgo alguno, cuando de otro modo habría sido capturado.»**

Esta victoria en Zacatecas (comparable al fugaz resurgimiento que experimentan algunos enfermos terminales antes de expirar; se conoce coloquialmente como *mejoría de la muerte*) reavivó las tímidas y débiles esperanzas de Maximiliano, quien escribió a Miramón ordenándole que capturara a Juárez y le hiciera juzgar por una corte marcial. Pero los hechos no se produjeron, ni mucho menos, como esperaba el austríaco: el 1 de febrero, antes de que las tropas de Miramón se reagruparan, Escobedo cayó sobre ellas, en San Jacinto, aplastando literalmente al ejército imperialista, aunque sin poder capturar a su máximo mandatario. Cuando Maximiliano tuvo noticias fehacientes del desastre de San Jacinto, y pese a la victoria obtenida en Zacatecas, perdió los ánimos definitivamente, comprendiendo que aquella aventura que había empezado bajo los mejores auspicios estaba tocando a su fin: *un fin triste y trágico para él.* En febrero de 1867 (día 9) dirigió esta misiva a su ministro Teodosio Lares:

> **«El Imperio no tiene, pues, en su favor la fuerza moral ni la fuerza material; los hombres y el dinero huyeron de él y la opinión pública se pronuncia de todas las maneras contra él. Por otra parte, las fuerzas republicanas, que injustamente se ha tratado de representar como desorganizadas, desmoralizadas y sólo animadas por el deseo del pillaje, prueban con sus actos que constituyen un ejército homogéneo, estimulado por el valor y la habilidad de su jefe y sostenido por la grandiosa idea de defender la independencia nacional, que cree puesta en peligro por la fundación del Imperio.»**

En este momento el emperador venido de Europa deseaba fervientemente abdicar; fueron sus ministros quienes, pensando que con la abdicación de Maximiliano corrían serio peligro sus cabezas, le convencieron no sólo para que siguiera en su puesto sino que, con Márquez, Vidaurri y otros, y un pequeño ejército de mil quinientos hombres, se refugiara en Querétaro. El sitio dio principio el 14 de marzo, hallándose en el interior con el Habsburgo sus generales Miramón, Mejía, Márquez y Méndez (*las cinco M*) y una fuerza que en total no alcanzaba a más de nueve mil efectivos humanos, mientras que los ejércitos concentrados en el cerco exterior eran los de Escobedo con doce mil hombres, Corona con ocho mil, y Riva Palacio con siete mil. La incompetencia de Maximiliano hizo que no se atacara a ninguno de estos ejércitos antes de que llegaran a las puertas de Querétaro, como proponía Miramón, de forma que al fin el emperador cayó en la trampa definitiva preparada por sus mismos valedores.

El 6 de marzo los republicanos habían rodeado Querétaro y empezado a cortar los suministros de comida y agua. Al principio el cerco no era muy estrecho y las salidas de los imperialistas y los ataques de los republicanos distaban mucho de ser decisivos (Smart). El 22 de abril, un emisario liberal ofreció la libertad a Maximiliano a cambio de una rendición sin condiciones de la ciudad y todas las tropas. El austríaco, enredado una vez más en la telaraña de los intrigantes, no quiso abandonar a sus *amigos,* rechazando el ofrecimiento.

Pero aquel largo e interminable episodio iba a concluir, definitivamente, la noche del 14 al 15 de mayo de 1867 con una nueva (para sentenciar) traición. Ahora sería el coronel López, de las fuerzas imperiales, el que permitiría a las republicanas su acceso a la ciudad; en la confusión que se produjo entonces, hubo ocasión sobrada para que Maximiliano pudiera protagonizar una rápida huida. *Esto sugiere que Escobedo debió considerar que el prisionero imperial sería una fuente de problemas para Juárez;* sin embargo, Maximiliano y el general Mejía fueron hechos prisioneros en el cerro de las Campanas. El austríaco pidió que le permitieran regresar a Europa tras abdicar y prometer solemnemente que *jamás volvería a interferir en la política de México,* petición ésta que Escobedo trasladó a Juárez, pero don Benito ordenó que Maximiliano de Habsburgo, Miramón y Mejía fueran juzgados por una corte marcial, *de acuerdo con la ley de 25 de enero de 1862, en la que se especificaba que serían condenados a muerte los extranjeros que conspiraran contra la independencia de México y que se aplicaría igual pena a los mexicanos que les ayudaran* (Smart). Desde el instante en que el emperador austríaco cayó prisionero, sus verdaderos amigos hicieron lo imposible para impedir que se le juzgara y ajusticiara. Entre los más conmovedores gestos de amistad se cuenta el de la princesa *Salm-Slam,* que no sólo ofreció cien mil pesos a un coronel llamado Palacio, sino incluso sus *favores personales,* para que permitiera la huida del Habsburgo. Las cancillerías europeas e incluso las presiones del Gobierno de los Estados Unidos de América estaban así mismo encaminadas a salvar, al menos, la vida de Maximiliano. Juárez y su Gobierno, sin embargo, se mostraron inflexibles; las razones de don Benito eran diáfanas: Maximiliano de Austria era el responsable visible de la intervención extranjera en México, la que había provocado una prolongada y cruel guerra con miles de muertos y heridos y una profunda ruina económica para el país y, por consiguiente, el pueblo reclamaba de su presidente un ejemplar castigo para el culpable.

«*Juárez no burlará la justicia nacional y no será cruel, no teñirá de sangre nuestro suelo. Pero desarmará, castigándola para siempre, a la traición. El celoso guardián de la honra y el porvenir de México no será generoso, será justo*», diría, al respecto de la suerte de Maximiliano, Ignacio L. Vallarta.

El efímero emperador y los generales Miramón y Mejía fueron juzgados de acuerdo con las leyes, teniendo todas las garantías legitimas para su defensa. Se les ejecutó, tras la condena a muerte, en el cerro de las campanas, el día 19 de junio de 1867 a las siete horas y quince minutos de la mañana.

Mucho se ha censurado a Juárez el hecho de que prolongara su mandato presidencial ocupando la más alta magistratura del país desde 1858 hasta 1872, año de su muerte. Sin embargo, los gravísimos aconteceres que padeció México y que amenazaron seria y peligrosamente su soberanía e independencia, reclamaban un gobierno fuerte que iniciara la constitución del Estado Nacional Mexicano, labor en la que don Benito puso desde siempre su mayor empeño y a la que dedicó toda su vida. El liberalismo fue la concepción política que consiguió ratificar como tal al Estado Mexicano, aplicándose de manera vertical, elitista y totalmente impopular: ni por su origen ni por su vocación fue en esencia un liberalismo democrático aunque pretendía, eso sí, las libertades de México y de su pueblo. El grupo liberal fue, realmente, una elite minoritaria que pretendió establecer un proyecto de gobierno desde arriba; Juárez respondió a este modelo autoritario.

Gracias a su manera de actuar, el *indio Juárez,* como se le llamaba peyorativamente, acabó convirtiéndose en el *Indio Juárez* (con mayúsculas), en sentido glorioso, erigiéndose como símbolo, referente y paradigma, como el inspirador infatigable que no decayó ni ante las más adversas y trágicas situaciones, sabiendo superar con valentía sin límites y digna del mayor encomio, trabas, barreras, cortapisas y contrariedades, representando de esta forma digna y noble la casta a la que pertenecía.

Para entender (amén de la grandeza de miras y honestidad de su labor) la importancia del desempeño de Juárez durante la *República Triunfante,* puede señalarse que además de defender la soberanía ante las embestidas del invasor advenedizo, gracias a sus coherentes actuaciones, México pudo constituirse en un Estado nacional y organizarse en régimen de sociedad civil. Al oaxaqueño se debe también el surgimiento del sistema presidencial mexicano, ya que en la etapa en que le correspondió gobernar era indispensable establecer una autoridad y un gobierno fuertes. Don Benito empezó por centralizar el poder, controlando al Ejército por medio del desarraigo de los generales en sus lugares de origen, estableciendo así mismo un control en la Cámara de Diputados, y decidió el nombramiento de los gobernadores de los estados, medidas políticas que se mantienen vigentes en la actualidad.

Se ha dicho *que tuvo la suerte de morirse oportunamente* pues, como ya había alcanzado dos reelecciones, era posible que buscara eternizarse en el poder. De haber sido así, afirman quienes sostienen esta hipótesis, la revolución social de 1910 se la hubieran hecho a Juárez y no a Porfirio Díaz, quien se mantuvo treinta y cuatro años en la silla presidencial. Sin embargo, terminó su existencia como la vivió, con entereza ejemplar y ejemplarizante. Puede decirse que, como los grandes héroes militares, murió de pie, *con las botas puestas,* luchando con coraje y sin tregua hasta el instante definitivo. Padeció diversos ataques cardíacos que le provocaban sufrimientos y dolores intensos, aplicándole los médicos tratamientos de agua hirviendo sobre el pecho, convencidos de que así producirían la vasodilatación necesaria para descargar venas y arterias, descongestionando así el asfixiante ritmo cardíaco; por sus características tan inconcebibles como dolorosas, el tratamiento apuntado servía únicamente para que don Benito olvidara un padecimiento para centrarse en el otro.

Hasta el último día, el presidente se dedicó a sus actividades públicas. La noche de su fallecimiento, 17 de julio de 1872, después de una crisis dolorosísima y de la cura que le dejó abrasado el pecho, tuvo acuerdo con su secretario de Relaciones y recibió a un militar que había solicitado audiencia. Después, pidió a su familia que se retirara a descansar y, tranquilamente, de madrugada, en su habitual soledad, la muerte se hizo con él en su aposento del palacio nacional.

Bien pueden recordarse las palabras de Leonardo da Vinci, aplicándolas a la desaparición física de don Benito, en las que el ilustre pintor filosofaba: *un día de intenso trabajo da una noche de sueño reparador, y una vida fructífera y bien vivida da una muerte tranquila.*

FRIVOLIDADES IMPERIALISTAS DE NAPOLEÓN III
(sinopsis)

La suspensión de pagos decretada por Juárez afectó a Francia, Inglaterra y España, países a los que México debía 30, 73 y 10 millones de pesos, respectivamente. Las naciones europeas decidieron, en la convención de Londres del 31 de octubre de 1861, utilizar la fuerza para obligar al Gobierno mexicano a efectuar el pago, si bien la intervención armada no implicaría ninguna adquisición territorial ni ventaja particular. El 15 de diciembre siguiente desembarcaron en Veracruz 6.200 españoles mandados por el general Prim. Luego llegaron 3.000 franceses y 800 ingleses, entre el 6 y el 8 de enero de 1862. Los extranjeros ocuparon la aduana con el propósito de cobrarse de ella la deuda externa mexicana.

El presidente Juárez envió como representante a Zamacona para tratar con los gobiernos de la alianza tripartita la posibilidad de evitar la guerra. Los representantes de las potencias europeas aceptaron acudir a una entrevista con el ministro de Relaciones Exteriores, Manuel Doblado, en el poblado de La Soledad. Como resultado de las conversaciones, volvió a ondear la bandera mexicana en San Juan de Ulúa, situada al lado de los pabellones español, inglés y francés.

Si bien los acuerdos alcanzados en los preliminares de La Soledad no representaban la victoria para mexicanos o extranjeros, sí significaron el reconocimiento de estos países al Gobierno de Juárez. El presidente se anotaba un importante triunfo al reconocerse la legitimidad de su Gobierno.

Los diplomáticos mexicanos lograron llegar a un acuerdo pacífico con los gobiernos español e inglés, tras declarar que no desconocían la deuda, mientras que los extranjeros sostenían que no se intentaba ninguna acción contra la soberanía de México. Sin embargo, Francia se mostró intolerante, y en marzo del mismo año envió más tropas para proceder a la invasión del país.

El gobierno juarista rompió de inmediato relaciones con Francia, a la vez que la alianza tripartita se venía abajo, pues los franceses habían intervenido directamente en asuntos de política interna. Ante la invasión, el gobierno liberal se vio más necesitado de recursos, situación que aprovechó el representante de Estados Unidos para firmar el Tratado Corwin-Doblado, mediante el cual se prestarían a México once millones de pesos, pagaderos en seis años a cambio de hipotecar los estados de Baja California, Chihuahua, Sonora y Sinaloa. A causa de la Guerra de Secesión en los Estados Unidos, el Senado estadounidense no aceptó el convenio.

El comandante en jefe del ejército francés rompió las hostilidades a mediados de abril de 1862, pretendiendo tomar la ciudad de Puebla.

Las fuerzas juaristas, al mando del general Ignacio Zaragoza, rechazaron a los invasores en tres ocasiones, infligiéndoles una derrota el 5 de mayo. El triunfo influyó notablemente en el ánimo del pueblo mexicano y contribuyó a que se detuviera durante un año el avance de los invasores.

La derrota del ejército francés en la batalla del 5 de mayo sirvió como una inyección de entusiasmo a los liberales mexicanos. El pesimismo quedaba atrás; a pesar de que la situación militar no favorecía a los improvisados ejércitos mexicanos, existía la voluntad de enfrentar a los enemigos más poderosos y mejor preparados militarmente.

El propio Juárez se contagiaba de la alegría causada por el triunfo. Así, escribió al gobernador de Durango:

«Procure usted mantener el entusiasmo de los durangueños; fórmese usted de ellos soldados bien disciplinados, y en cuanto a las armas estoy haciendo esfuerzos para procurarme el mayor número posible.»

Por otra parte, los constantes ataques al presidente habían cesado. La oposición del Congreso y de la prensa se detuvo. Aquellos que habían encabezado ataques virulentos contra el presidente ahora se sometían dócilmente a sus decisiones.

La intuición de Juárez fue una aliada importante para alcanzar el triunfo de la República. En Ignacio Zaragoza, el general que derrotó al ejército francés, el presidente vio un militar con futuro. En los combates anteriores a la batalla de Puebla, Zaragoza era sólo un soldado de segundo nivel, pero, gracias a la confianza que depositó Juárez en él, se convirtió en uno de los generales más brillantes de la lucha para conseguir un México libre y soberano.

El Gobierno de Juárez se preparó para la defensa. Ya desde abril, en uso de las facultades omnímodas que le fueron conferidas por el Congreso, el presidente había declarado fuera de la ley a todo mexicano que auxiliara a los franceses. Después del 5 de mayo, el ejército republicano sufrió varias derrotas, pues las fuerzas extranjeras, unidas al contingente de los monárquicos conservadores y clericales, hacían un total de 30.000 hombres. Un año después de la sonada victoria mexicana frente al ejército francés. los invasores ocuparon Puebla y se dirigieron a la capital.

En la ciudad de México el ejército extranjero fue recibido con muestras excesivas de júbilo, sólo superadas a la llegada de Maximiliano un año después.

Con un ejército constituido por cinco mil ochocientos hombres, el Gobierno republicano de Juárez no podría resistir con mucho éxito la defensa de la capital, por lo que, a sugerencia del ministro de la Guerra, se consideró la posibilidad de trasladarse al estado de San Luis Potosí. En esos días, su hija Manuela, que era la mayor de su familia y a la que profesaba un gran amor, se casó con Pedro Santacilia y se marchó a Estados Unidos. Así mismo, cuando llegó la noticia de la ocupación de Acapulco por el ejército francés, envió a su mujer y a sus hijos al norte del país.

El 29 de mayo de 1863, Juárez se reunió con sus ministros y sus generales y decidió la evacuación inmediata de la capital. El mismo día, se publicó un decreto en el que se señalaba que, por razones de guerra, los poderes de la Federación se trasladarían a San Luis Potosí.

Dos días más tarde se iniciaba la llamada Odisea de Juárez. En adelante, su gobierno cambiaría de sede constantemente a fin de evitar caer en manos del ejército intervencionista. En cinco carretelas y tres diligencias viajó con los miembros de su gabinete; a la vanguardia marchaban quinientos soldados, mientras que los flancos y la retaguardia iban cubiertos por el resto del ejército republicano. En la plaza quedaban abandonados noventa y siete cañones, alrededor de un millón de cartuchos de fusil y cuatro mil cuatrocientos de cañón, doce mil trescientos kilogramos de pólvora y trescientos mil cohetes de varios tamaños.

Si bien Juárez no contaba con una preparación militar, sí era poseedor de cierta intuición que le hacía disponer órdenes para preparar la defensa nacional. Al comprender que la derrota del ejército invasor dependería del número y calidad de los soldados mexicanos y de que para ello era necesario contar con suficientes recursos económicos —de los que carecía—, consideró que el único camino era una resistencia semipasiva, fundada en la guerra de guerrillas.

Juárez advertía que la guerra de guerrillas agotaría al enemigo y le haría comprender que los enfrentamientos podrían prolongarse por un tiempo indefinido. Tal decisión ahorró mucha sangre de sus compatriotas, e hizo reaparecer en los mexicanos el espíritu de lucha y sembrar la convicción de que el enemigo podría ser derrotado.

Establecido el invasor en la ciudad de México, se procedió a organizar una Junta Provisional de Gobierno. Una Asamblea de Notables nombró una Asamblea Nacional, que decidió que la forma de gobierno necesaria para el país era una monarquía moderada y hereditaria. La Junta de Notables consideraba que la desamortización de los bienes eclesiásticos decretada por Juárez no había pretendido nacionalizarlos, sino monopolizarlos. Señaló, así mismo, que si lo recaudado por este concepto hubiera sido invertido en ferrocarriles o en el pago de la deuda externa, la medida hubiera resultado menos impopular.

Como justificación a la intervención francesa, los notables enjuiciaron al presidente con las siguientes palabras: «Juárez ha sido nuestro enmascarado verdugo, que se lisonjea de simbolizar al tipo más perfecto de patriotismo.»

La corona se ofrecería al príncipe católico, archiduque de Austria, Fernando Maximiliano de Habsburgo, el elegido por Napoleón III. Durante noviembre y diciembre de 1863, el ejército francés ocupó, sin oponer apenas resistencia alguna, las principales poblaciones del país. En tanto, Juárez tuvo que refugiarse en Saltillo y, a pesar de su situación desfavorable, no se desmoralizaba. Tal vez su optimismo radicaba en que, como señalaría el historiador mexicano Carlos Pereyra, «el imperio mexicano nació muerto; el jefe de Estado francés, el primer soberano de su siglo, puso un feto en las manos disipadoras del archiduque».

Maximiliano aceptó formalmente el ofrecimiento del trono en febrero de 1864, bajo la responsabilidad de establecer el orden e «instituciones sabiamente liberales», que demostraron que «la libertad bien entendida se concilia perfectamente con el imperio del orden». El compromiso entre Napoleón III y el imperio de Maximiliano quedó establecido en los Tratados de Miramar, firmados en abril del mismo año. Se estableció que las tropas francesas se reducirían lo más pronto posible a 25.000 hombres, los cuáles abandonarían México tan pronto como el emperador hubiera organizado su propio ejército. Los oficiales europeos siempre estarían por encima de los mexicanos.

En tanto, ante el avance del ejército intervencionista, el Gobierno republicano se había trasladado a Monterrey, y posteriormente cambió su residencia a Chihuahua. Al llegar a México, Maximiliano escribió a Juárez invitándole a unirse a su gobierno, pues venía cargado de buenas intenciones, seguro de que su presencia uniría, como por arte de magia, al pueblo mexicano en su derredor. Manifestó, incluso, que alimentaba la esperanza de «dar un día la mano al señor Juárez». Benito, naturalmente, rechazó semejante invitación, pero no así algunos de los liberales moderados, que de inmediato procedieron a colaborar con el emperador. La actitud liberal de Maximiliano sorprendió profundamente a los conservadores; además, alejó definitivamente del país a los generales que más se habían distinguido dentro de las filas del conservadurismo: Miguel Miramón y Leonardo Márquez.

Para mayor sorpresa de los conservadores, Maximiliano coincidió con Juárez en lo referente a sus leyes sobre libertad de cultos, supresión del fuero eclesiástico, nacionalización de los bienes de la Iglesia, registro civil y secularización de los cementerios. Consideraba que las Leyes de la Reforma dictadas por Juárez eran necesarias para la organización de todo estado moderno. Esta situación provocó un enfrentamiento con la Iglesia, que había apoyado a la intervención francesa y al Imperio y esperaba su recompensa.

El gobierno de Juárez, asediado por las fuerzas francesas e imperialistas, se volvió nómada y recorrió algunos estados del norte del país, acompañado únicamente por los hombres más fieles, entre los que podemos citar a José María Iglesias y Sebastián Lerdo de Tejada.

En los días más aciagos, los ejércitos juaristas agrupaban dos o tres mil hombres cada uno, la mayoría de los cuales no estaban aptos para el combate por no contar con armas. Por ejemplo, la columna de Antonio Rojas, que se componía de tres mil hombres, arrastraba cerca de cinco mil mujeres que seguían a las fuerzas republicanas a pie o a caballo. Sin piezas de artillería ni carros, tales columnas podrían ser derrotadas por cien hombres bien disciplinados, de acuerdo con los expertos en maniobras militares. Si bien el espectáculo era sobrecogedor, hoy día nos habla de la entrega sin reserva de estos hombres por lograr su objetivo más preciado: desterrar del territorio mexicano una monarquía impuesta.

Los diputados del gobierno juarista aprobaron una ley de acuerdo con la cual se confiscarían los bienes de aquellos funcionarios públicos que sirvieran a la intervención, así como a los funcionarios de los estados que permanecieran en los lugares ocupados por las fuerzas armadas del imperio. En la disposición se incluían también aquellas personas que fueran subvencionadas o condecoradas por el Gobierno francés, así como quienes auxiliaran, directa o indirectamente, a los enemigos del Gobierno legalmente constituido.

Igual trato merecerían los prisioneros de guerra, puesto que servir a la empresa monárquica equivalía a ser considerados traidores a la patria. En esos momentos de guerra, en que no se podía dar lugar a debilidades, sólo había dos clases de mexicanos: los patriotas y los traidores.

Último Capítulo

— Elocuentes destellos de la vida de Juárez —

Escrito del cura que lo bautizó en el registro de la parroquia

«En la iglesia parroquial de Santo Tomás de Ixtlán, en 22 de marzo del año 1806. Yo, don Ambrosio Puche, vicario de esta Doctrina, bauticé solemnemente a Benito Pablo, hijo de Marcelino Juárez y de Brígida García, indios del pueblo de San Pablo de Guelatao, perteneciente a esta Cabecera; sus abuelos paternos son: Pedro Juárez y Justa López; los maternos, Pablo García y María García; fue madrina Apolonia García, india casada con Francisco García, y le advertí de su obligación y parentesco espiritual, y para constancia lo firmo con el señor cura Mariano Cortabarría. Ambrosio Puche.

Año 1829. Acto público de derecho
(empieza a causar sensación en Oaxaca)

Desarrolla una tesis de completa intención revolucionaria: 1.º Los poderes públicos constitucionales no deben mezclarse en sus funciones. 2.º Debe haber una fuerza que mantenga la independencia y el equilibrio de estos poderes. 3.º Esta fuerza debe residir en el tribunal de la opinión pública.

Octubre de 1830. Otro acto público
(se ve la importancia que para él tienen las leyes)

No hará en él reconvenciones al Gobierno. Se trata, ahora, de dar un cariz meramente jurista al examen. Desarrolla dos puntos perfectamente audibles: 1.º La elección directa es más conveniente en un sistema republicano. 2.º Esta elección se hace tanto más necesaria cuanta más ilustración haya en el pueblo.

Sus principios en política

Lo cierto es que Juárez asciende como consecuencia de las pugnas entre el Seminario y el Instituto de Ciencias y Artes, pugnas prolongadas ya, de modo franco, al terreno de la política. Al triunfo del general Vicente Guerrero, el partido liberal accede al poder y en Oaxaca se verifican radicales transformaciones. Los puestos públicos se reparten entre los elegidos y Benito puede conocer una situación holgada y menos miserable. Los hombres del partido liberal en Oaxaca, por otra parte, necesitan discípulos ilustres, *y los inventan.* Con dos de ellos, sin embargo, no se engañarán: Miguel Méndez y Benito Juárez.

Méndez, por su edad, se convierte en el joven maestro de la generación de Juárez. En su casa se sirve el té y se discute de política —que era también discutir de religión— y de arte. Los efervescentes muchachos del Instituto escuchan atentamente los discursos de algunos *dómines* liberales o las fogosas peroratas de Méndez. A estas reuniones asiste Juárez: llega y toma asiento en un ángulo de la sala, meticulosamente peinado y limpio, callado hasta la exageración.

Una noche la controversia se prolonga. Afuera, los faroles no logran penetrar la oscuridad callejera. Voces en tropel se escapan por las ventanas e inundan el barrio. Se discute sobre un tema trascendental y tradicional: *Se necesita un hombre.*

Los jóvenes han examinado la situación local... **¿Quién sería el hombre capaz de encauzar actividades y vida de Oaxaca por firme camino?**

Méndez toma de encima de la mesilla de mármol el velón que alumbra la tertulia y pronuncia, sentencioso, unas palabras que hielan al auditorio:

—*Yo voy a enseñarles ese hombre.*

Luego se encamina hacia un rincón donde, por la negrura, no es posible que alguien exista. Sin embargo, la luz revela de improviso una figura como en éxtasis.

—*Éste que ven ustedes es el hombre* —anuncia la voz de Méndez—. *Reservado y grave, puede parecer inferior a nosotros, pero no lo es, y sí será un gran político, tan grande que se levantará mucho más alto que nosotros, llegando a ser uno de nuestros hombres eminentes y la gloria de la patria.*

La reunión se dispersa en silencio.

1850. Muere su hija. Incluso en ese momento la ley sigue siendo básica para él

Aunque la ley prohibía la inhumación de los cadáveres en los templos, exceptuaba a la familia del gobernador del Estado; Juárez no quiso hacer uso de esa gracia y...

—*Yo mismo llevé el cuerpo sin vida de mi hija al cementerio de San Miguel, para dar ejemplo de obediencia a la ley, que las preocupaciones nulificaban en perjuicio de la salud pública.*

Margarita Maza, su esposa, llora amargamente tal empeño legalista. Contempla cómo por la esquina se pierde la figura negra de su marido portando bajo el brazo un pequeño cajón pintado de blanco. Y permanece en una silla hasta que los pasos seguros del indio resuenan de vuelta. Juárez se llega en silencio a su mujer, la besa en la frente y sale a recibir una comisión de indios de su sierra. Desde este momento, con ese juicio propio de la femenina intuición, Margarita hará una síntesis de su esposo: *Es muy feo, pero es muy bueno.*

1854 **Juárez demuestra** (tras estallar la revolución) **de nuevo su humildad**

Santa Ana abandona la capital de la República el 9 de agosto, renuncia a la presidencia el 12 y sale del país el 18. Juárez se entrevista con la *Junta Revolucionaria de Brownsville,* proponiendo la vuelta a México. Agita Nueva Orleáns, consiguiendo dinero para el viaje, embarcando por fin el 20 de junio para La Habana y Panamá, cruza el istmo, embarca en el Pacífico y llega a Acapulco. Ese mismo día se le informa de que el coronel Álvarez ha llegado a puerto. Benito se presenta en la fonda.

—*¿Está el coronel Álvarez?*

—¿De parte de quién?

—*De uno que viene a pelear.*

El asistente comunica al coronel:

—Mi coronel, un joven vestido de negro solicita hablar con usted.

—Dígale que pase.

El extranjero accede a la estancia donde se encuentra el coronel. Se trata de un caballero desconocido, de exterior humilde y modales lentos y finos.

—¿Cómo se llama usted?

Álvarez no entiende muy bien el nombre, en las palabras pronunciadas entre dientes por el sujeto vestido de negro.

—¿Y qué desea?

Ahora sí. La respuesta es clara y audible:

—*Sabiendo que pelea usted por la libertad, he venido a ver en qué puedo serle útil.*

Salen ese mismo día rumbo a Taxco, cuartel general de los revolucionarios, bajo una intensa tormenta. Y habla ahora el coronel Álvarez:

«Ocioso es decir que, estando nosotros desprovistos de ropa para el recién llegado, no sabíamos qué hacer para remediar la ingente necesidad que sobre él pesaba; hubo pues que usar el vestuario de nuestros pobres combatientes, esto es, algún calzón y cotón de manta, agregando un cobertor de cama de mi señor padre y su refacción de botines, con lo que, y con una cajetilla de buenos cigarros, se entonó admirablemente. Por lo demás, el señor mi padre, que tuvo el gusto en recibir un colaborador espontáneo en la lucha comenzada contra *Santa Ana,* estaba en la misma per-

plejidad que yo, y al ofrecerse él a escribir en la secretaría, repitiendo que había venido a ver en qué podía ayudar aquí, donde se peleaba por la libertad, se le encomendaron algunas cartas de poca importancia, que contestaba, y con la mayor modestia las presentaba a la firma. Pasados algunos días llegó un extraordinario participando el movimiento de aquella capital, y como el primer pliego viniese rotulado: *Al Señor Licenciado Don Benito Juárez*, se lo presenté, diciéndole: Aquí hay un pliego rotulado con el nombre de usted; pues qué, ¿es usted licenciado?

—*Sí señor* —respondió.

Y sofocado de vergüenza, pregunté:

—¿Por qué no me lo había dicho?

—*¡Para qué!* —exclamó—. *¿Qué tiene ello de particular?*»

Juárez queda al frente de la secretaría privada de don Juan Álvarez, en donde presta el primer servicio a la causa, dando, al mismo tiempo, su primera lección de energía, de fiero legalismo, de dignidad política.

Juárez se muestra humilde una vez más, en Veracruz (1858)

En parada militar Benito se dirige a su alojamiento. *Las muchachas arrojaban flores desde los balcones, los hombres gritaban vivas en las bocacalles, y una multitud entusiasta y delirante seguía al cortejo... Llegó la comitiva a la casa que de antemano se había arreglado y se instaló luego de que se hubieron marchado Zamora y sus amigos, que un rato acompañaron a Juárez y demás familia enferma.*

El cansancio del viaje y todas las emociones reprimidas bajo su impasibilidad rinden al oaxaqueño. La mañana siguiente a la de su llegada sale a la azotehuela y pide a una negra que por allí andaba que le diera agua; pero la mujerona, al ver un hombrecillo de mala traza, tez cobriza y aspecto humilde aunque con maneras corteses, se imagina que ha topado con un individuo de la más ínfima servidumbre.

—¡Vaya —exclamó—, un indio manducón que parece «improsulto»! Si quiere agua, ¡vaya y búsquela!

Juárez escucha imperturbable aquella letanía y, como le ha espetado la negra, va en busca del agua que no tarda en encontrar. Poco después, la comitiva toda, que ese día empieza su vida en común, aguarda a Benito. La negra procura saber quién de todos aquellos caballeros es el presidente y a todo el que ve guapo, de elevada estatura o considerado de los demás, le hace reverencia poniéndole la cara más linda de que es capaz. Por fin sale el oaxaqueño de su cuarto, y cuantos se encuentran formados a la puerta le hacen inclinación de cabeza en respuesta al saludo de él. Petrona, que reconoce en aquel indio feo al sujeto que ha reñido hace pocos instantes, desaparece de la escena increpándose a sí misma camino del interior de la casa.

Sorprendidos los circunstantes, preguntan el porqué de la extraña actitud de la negra, y Juárez, sonriendo, explica la anécdota.

Otro ejemplo de legalidad

Su hija Felicitas estaba casada con Delfín Sánchez. Un día se presentó en casa del señor Sánchez un juez civil, acompañado del personal del Juzgado, para ejecutar una providencia. El señor Sánchez se molestó, se hizo de razones con el juez, lo injurió de palabra primero y, al fin, de obra. El funcionario judicial se retiró, dictando de inmediato orden de aprehensión contra Sánchez. Queriendo cumplir un deber de cortesía, fue a ver a Juárez y le dio parte de la falta cometida por su yerno.

—*¿Qué providencias ha tomado usted?*—le preguntó don Benito con su calma habitual.

—He mandado aprehender al señor Sánchez y espero que a esta hora se haya cumplido la orden.

—*Está bien* —repuso Juárez—. *Veo que es usted digno del alto cargo que ocupa.*

Instantes después apareció Felicitas rogando a su padre que interpusiera su alta influencia para que se pusiera en libertad, inmediatamente, al detenido. Benito, tras escuchar impasible a su hija, repuso:

—Imposible complacerte porque la ley me lo prohíbe. Tu marido ha cometido falta y preciso es que sufra el castigo consiguiente. Yo, y todos los míos, somos los que estamos más obligados a dar ejemplo de respeto a la ley y los que debemos ser más severamente castigados si la incumplimos.

Tan sólo un apunte

— La masonería y... ¿Benito Juárez? —

Un hermoso sistema de moral
revestido con alegorías
e ilustrado con símbolos.

Una ciencia que se ocupa en la
investigación de la verdad divina.

La actividad de los hombres unidos íntimamente, sirviéndose de símbolos tomados principalmente del oficio de albañil y de la arquitectura, trabajando por el bienestar de la humanidad, procurando en lo moral ennoblecerse a sí y a los demás, y, mediante esto, llegar a una liga y paz universal, de que aspira a dar desde luego muestra en sus reuniones.

Existe una especie de extraña y generalizada doctrina, truculenta y casi morbosa, diría yo —algo así como un código carente de artículos que lo fundamenta y dicta la *vox populi*, con o sin lógica, pero que con el tiempo sienta jurisprudencia mundial—, tendente a vincular los personajes públicos o/y famosos, sobre todo si su actividad se desenvuelve en el área de la política, al universo de la *masonería*.

Esa misma *vox populi* suele aplicar al término *masonería* un acento entre misterioso y estremecedor, ascético y arcano, liberal y oligárquico (biconjunto de expresiones siempre antónimas, contradictorias), pero sobre todo tenebroso, siniestro e incluso trágico, y a la hora de homologar el susodicho término acostumbra (sorprendentemente) asociarlo con la *mafia* cuando, está demostrado, no existen en todo el orbe dos organizaciones de filosofías más contrapuestas y antinómicas que esas dos.

Conviene puntualizar, de entrada, que, aunque la gente tenga formada esa imagen, no todos los políticos tienen connotaciones masónicas.

Y aclarar, así mismo, porque es imprescindible y necesario, acentuándolo enfáticamente en honor de la más estricta de las justicias, el hecho de que *masonería* y *mafia* no sólo están en las antípodas una de otra, sino que no tienen nada, absolutamente nada que ver entre sí, que no existe ni un solo concepto en sus respectivos idearios que sirva para establecer el más insignificante nexo de unión. De todas formas, cabe la posibilidad de que ese asociativo error popular nazca en la circunstancia que la opinión pública (por ignorancia unas veces y por desconocimiento las más) encuentra en el misterio con que rodea, o supone que rodea a ambas, sirviéndole para establecer el equivocado punto tangencial de convergencia. O puede ser que todo se deba a la incuestionable realidad de que ninguno sepamos con exactitud meridiana lo que significan una y otra expresiones.

La *mafia* suele desenvolver sus actividades por derroteros con frecuencia cruentos, por senderos delictivos dentro de un organigrama estricto y siniestro que tiene su punto álgido en el intransigente principio de *la omertá*, y en el mejor de los casos sus directrices cursan de por vida un peligroso *border line* con las leyes ortodoxamente establecidas. Descartada pues cualquier vinculación, la *mafia* queda y cae en el olvido, porque ni nos interesa ni es de lo que estamos hablando, ya que lo único que se pretende es hablar de la *masonería*.

Pero, ¿qué es la masonería?

Aquí no cabe aquella respuesta tan abusivamente utilizada por ciertos entrevistados (sobre todo en las revistas deportivas y las llamadas del «corazón»), que dice: *¡Me gusta que me haga usted esta pregunta!* No, a nadie le gusta que le hagan esa pregunta porque prácticamente nadie sabe contestarla. A lo mejor, y todavía no lo hemos descubierto, es la *pregunta del millón*. Lo único cierto es que a nuestra manera (mejor o peor) todos creemos saber lo que es la *masonería*, pero no sabemos explicitarlo de un modo inteligible, claro y concreto.

Son muchas las palabras que suponemos saber lo que significan o las cosas o hechos que estamos seguros de comprender que son, pero que nunca acertamos a describir correctamente; volviendo a lo nuestro: estoy convencido de que metería en apuros a más de un masón si le preguntara *eso... ¿Qué es la masonería?*

Lo cierto, y me atrevo a decirlo con absoluta franqueza, es que no recuerdo haber encontrado nunca, en las muchas consultas efectuadas al respecto, una respuesta precisa, concreta, lineal, que definiera en *román paladino* qué es la *masonería* (a lo peor, es que no he consultado lo suficiente o que no he acudido a las fuentes documentales idóneas). Sin embargo, ese mismo concepto dubitativo no cabe aplicarlo al ideario y objetivos de la *masonería*, ya que tanto uno como otros sí están determinados con claridad y concisión.

Entrados en el terreno de las hipótesis y suposiciones quizá quepa admitir, por ejemplo, que lo que *es* y *significa* la *masonería* queda resumido en las filosofías que encabezan este capítulo-apunte y, con mayor amplitud todavía, en el *código moral masónico* que se inserta dentro del presente texto, destacándolo debidamente.

Bien. Como seguir ascendiendo por esta cordillera de incorrecciones no nos llevaría a la cima pretendida ni a conclusión alguna, y sí a seguir dilatando hiperbólicamente una espiral cuyo último trazo acabaría por frisar las fronteras de lo absurdo, bueno será reconvenir el tema y circunscribirlo a los datos histórico-consultivos de que disponemos *(definir la* masonería *indicando de una manera precisa su objetivo real y fundamental es imposible, por las muchas variantes que se manifiestan en el decurso de su historia y por la falta de una traducción segura de las fórmulas y voces de que, desde sus orígenes, ha usado y abusado la orden...;* este último texto ha sido extraído del Diccionario Enciclópedico Universal ESPASA-CALPE); así, pues, trataremos de ser prácticos y...

«Dejando a un lado muchos y muy antiguos antecedentes históricos de la *masonería*, oscuros e inconexos, señalaremos ahora que la francmasonería surgió de las corporaciones de obreros de la construcción en la Edad Media. Los canteros alemanes y los constructores ingleses de aquellos tiempos no constituían exclusivamente asociaciones de oficios (*guildas*), sino auténticas hermandades en las que se enseñaba y ejercitaba una teoría secreta de sus respectivas artes y oficios. Muchos autores han demostrado que los francmasones no inventaron su liturgia y símbolos y que tan siquiera fue copiada de otras sociedades secretas, sino que les fueron transmitidos por sucesión directa de las sociedades gremiales de procedencia.

Se pretende que la *masonería* es tan antigua que ya existía y se practicaba en las pirámides egipcias, en los templos de la India, en las cavernas de los esenios, en las criptas de los mayas, en la academia de Pitágoras y en muchas otras organizaciones iniciáticas que se pierden en la oscuridad de los tiempos. Las semejanzas, reales o imaginarias, con los ritos y ceremonias que se celebraban en épocas tan remotas, demuestran que la francmasonería llena una íntima necesidad del espíritu humano, cual es la de buscar la superación personal y encauzar las potencialidades individuales hacia el bien de la comunidad. No es, pues, la lógica de la tecnología y de los métodos que son más eficientes para conseguir la evolución interna en el *homo sapiens*, pese a todas y cada una de las modificaciones ambientales que ha conseguido la civilización.

La *masonería*, en su forma moderna, tomó cuerpo en Inglaterra a finales del siglo XVII.

Con autoridad existían en Alemania, Francia e Italia, las cofradías de constructores, o *masones*, en donde se enseñaban no solamente las artes y las ciencias que debía dominar un maestro constructor, sino que se impartían conceptos morales y de buen comportamiento y conducta que garantizaran la armonía en el seno de las corporaciones. Los siglos de perpetuación de las monumentales obras ejecutadas por los *masones* (entre las que se encuentran las más preciadas joyas del estilo gótico) favorecían que se establecieran relaciones muy sólidas entre los numerosos artistas y obreros, los cuales formaban auténticos *equipos* bajo la batuta de los grandes maestros arquitectónicos, que eran solicitados para ejecutar obras en urbes distantes y en diferentes países.

Natural es que, en sus periplos, buscaran la ayuda de otros miembros de su misma profesión, igualmente agremiados en cofradías, y que asistieran a las reuniónes de sus *logias*. De esta necesidad de viajar y ser reconocidos y atendidos, como de las precauciones que cada agrupación tomaba para no incluir entre sus miembros a alguien que rompiera la armonía reinante, ya por su conducta improcedente ya por explotar en beneficio propio los conocimientos técnicos que se impartían en las *logias*, surgieron los signos secretos de reconocimiento, la jerarquización en tres grados, con obligaciones y prerrogativas diferentes y el sigilo y discreción necesarios para los cónclaves masónicos.

El nombre de *francmasón* se daba a los constructores que gozaban de libertad para contratar sus servicios con cualquier persona y/o país, a diferencia de los que estaban al servicio exclusivo de algún noble, prelado eclesiástico o monarca; estos últimos no precisaban, obviamente, de signos de reconocimiento ni demás parafernalias que caracterizaban a las *logias* de francmasones.

Por la necesidad y el interés de viajar y de conocer diversos países y costumbres, los francmasones tuvieron contacto con distintas formas de pensar y diferentes organizaciones políticas, hecho éste que les confirió un punto de vista excepcionalmente amplio hacia los problemas religiosos, filosóficos, socioeconómicos y políticos de su época. Hubieron de aceptar, con igualdad de derechos, a hombres de otras nacionalidades, credos, razas y doctrinas, lo cual sentó las bases a los principios humanistas de la reciente orden. En los siglos X, XII y XIV se emprendieron en Escocia e Inglaterra grandes obras y, para su puesta en práctica, se importaron constructores alemanes, quienes llevaron con ellos los usos y costumbres de las *logias* alemanas, naciendo bajo su influjo las *logias* escocesas e inglesas.

Hacia principios del siglo XVIII la construcción había decaído estrepitosamente y, en consecuencia, languidecían las *logias* de los masones operativos; entonces, en 1717 se constituyó en Londres una *Gran Logia* bajo el patrocino de un grupo de hombres de notoria ilustración, que observaban con tristeza el declive de las *logias* de los constructores, siendo en aquel momento cuando nació, propiamente, la *francmasonería* de nuestros tiempos, la cual ha conservado con mimo y escrúpulo el espíritu de las antiguas cofradías, sus principios constitucionales y los usos y costumbres ancestrales, apartándose de la construcción material. Admitió en sus filas a hombres de cualquier oficio y condición social, al tiempo que daba una interpretación elevada y filosófica a sus símbolos; así, la *francmasonería* adquirió un carácter más amplio, susceptible de ampliarse por el mundo entero. Al ser electo George Payne para el cargo de *gran maestro*, emprendió la dignísima tarea de reunir todos los preceptos existentes y formar una elección de treinta y nueve ordenanzas generales que fueron revisadas por el doctor James Anderson, teólogo e historiador, y sirvieron de base a la Constitución publicada en 1723, que es el primer fundamento legal de la *masonería*. Prosperó, a partir de este momento, la orden, contando entre sus iniciados a distinguidos protagonistas de la nobleza y de la familia real inglesa; entre 1729 y 1772 surgieron ciertas discrepancias internas que dieron lugar a su separación en dos ritos: el *Rito Escocés Antiguo y Aceptado* y el *Rito de York*, o del *Real Arco*.

De Inglaterra, la nueva *francmasonería* se extendió rápidamente a otras naciones. En Francia se hizo presente entre 1721 y 1732, alcanzando un auge inusitado, formándose nuevos ritos y creándose grados filosóficos, siendo ésta, de entrada, una innovación *non grata* en los demás países, dado que infringía los *Antiguos Límites*, que únicamente establecían los tres primeros grados. La *masonería* francesa ha contado entre sus miembros a distinguidas personalidades, tales como François-Marie Arouet (Voltaire), Juan Jacobo Rousseau, Marie Jean Nicolas de Caritat, marqués de Condorcet; Víctor Hugo, Georges Jacques Danton, Edouard Herriot, Leon Gambetta, Jean Paul Marat, Alejandro Dumas, Napoleón Bonaparte, Emilio Solá y otros muchos. Cabe decir, por ser altamente significativo, que en las *logias masónicas* francesas se gestó la Revolución y de los principios masónicos se sirvieron los revolucionarios como bandera en la lucha contra la tiranía.»

La *masonería* en latinoamérica: Sin duda hubo masones en América desde tiempos inmemoriales, pero la *masonería* como tal se introdujo en el siglo XVIII, cosa que no debe extrañarnos teniendo en cuenta que la época de la Ilustración fue de auge para los hijos de la luz. En latinoamérica, y pese a la tajante prohibición que regía sobre toda actividad masónica, el desarrollo del pensamiento liberal determinó la difusión de la *masonería* que no logró, sin embargo, una influencia realmente poderosa en la etapa colonial, teniendo que aguardar hasta la convulsión de la independencia para asistir al florecimiento de las *logias masónicas* en las excolonias españolas.

Los jóvenes hijos de la oligarquía criolla estudiaban, por lo común, en el Viejo Continente y allí, la mayoría de ellos, conectaban con altos personajes de la *masonería* y eran ganados para la gran institución liberal. Pero —y aquí está la originalidad de la *masonería latinoamericana* de aquel entonces— en vez de integrarse orgánicamente a la *masonería*, los jóvenes patricios prefirieron crear *logias* autónomas según los procedimientos y reglamentaciones propios de la *masonería*, pero independientes del *tronco universal*; se ha dicho, en consecuencia, que las *logias* de la independencia sudamericana no eran propiamente *masónicas* sino que estaban integradas por masones. Por aquel entonces las *logias patrióticas* pulularon por doquier: Miranda fundó una en Venezuela, y San Martín y Alvear establecieron la famosa *logia Lautaro* en Buenos Aires. Ya se ha puesto de manifiesto la total autonomía de estas *logias* que guardaban, no obstante, muchas similitudes de funcionamiento con las europeas, albergando los elementos más radicales del liberalismo criollo y en algún caso —notablemente la *logia Latuaro*— estaban integradas solamente por militares. La *logia* que funcionaba en medio del más grande secreto y penaba la infidelidad con la muerte, contaba, sin embargo, con algunas sociedades legales de fachada; así, la *logia Lautaro* era la inspiradora, en Buenos Aires, de la llamada *Sociedad Patriótica*, institución legal integrada por civiles que, en los tiempos revolucionarios, perseguía a la luz pública los objetivos que la *logia* perseguía clandestinamente.

La *logia Lautaro* tuvo un radio de acción extraordinariamente amplio, aglutinando militares y revolucionarios de Argentina, Chile, Uruguay, Paraguay y Bolivia, alcanzando hasta Perú. Su férrea disciplina interna no la libró de la lucha de facciones, siendo notoria y notable la divergencia que dividió en su seno a los sectores que seguían a Alvear y los que secundaban a San Martín; como organismo integrado por hombres que representaban la oligarquía urbana, la *logia Latuaro* no llegó a penetrar en la realidad global de los nuevos países, fracasando en el intento de organizarlos. En Uruguay funcionó, tiempo después, una *logia* autónoma de similares características, denominada los *Caballeros Orientales*. Más allá de los grandes ideales de todo organismo de inspiración masónica, los *Caballeros Orientales* se proponían el fin concreto de expulsar a portugueses y brasileños de territorio uruguayo; sus líderes fueron Manuel Oribe y Juan Francisco Giró. Estas *logias* autónomas no sólo chocaron con la Iglesia, sino que, más allá de las condenas de la jerarquía eclesiástica, estuvieron integradas por sacerdotes liberales; pero al concluir el período revolucionario e introducirse la *masonería* con fuerza en los nuevos países la situación dio un vuelco y los conflictos entre la Santa Madre y los criollos liberales (frecuentemente masones) alcanzaron un clímax intenso. Chile, Argentina, Uruguay y Brasil fueron campo de semejante enfrentamiento de manera especialísima y virulenta.

En Uruguay, donde la *masonería* obtuvo altísimas cotas de poder e inspiró el berroqueño movimiento liberal que fue la nueva base organizativa del país, los conflictos culminaron cuando el presidente Bernardo Berro, católico y masón, comprobó cómo las puertas del templo se cerraban ante sus propias narices (1863) y, en represalia, expulsó al obispo; Berro había secularizado los cementerios y autorizado el sepelio de masones y suicidas. En Brasil hubo muchos masones en torno a la figura de don Pedro II: el propio lema de la bandera brasileña, *Orden y Progreso*, de génesis comtiana, tiene un innegable cariz masónico; en Chile, que junto a Uruguay resultaron ser los países más liberales y anticlericales de latinoamérica, la *masonería* ostentó una tradicional fuerza, sustentando el amplio movimiento liberal chileno.

En México, y desde los lejanos tiempos de la independencia, las *logias* masónicas tuvieron gran influencia; cuando la tremenda conmoción revolucionaria de 1910, los influjos de la *masonería*, sin ser decisivos, sí fueron muy importantes. Hasta ocho *logias* diferentes hubo en territorio mexicano, siendo la principal la denominada *Gran Logia del Valle de México*.»

BENITO JUÁREZ, MASÓN

Wenceslao Primera Plana Expresión Institucional Portal del SNTE Literatura Matemáticas Historia de México Masonería Mis cuentos

BENITO JUÁREZ Y LA MASONERÍA
por Wenceslao VARGAS MÁRQUEZ
Publicado en el *DIARIO DE XALAPA*, 16 de marzo de 1993
y en el diario *POLÍTICA* de Xalapa, 22 de marzo de 1999.

«Mucho se ha escrito acerca de la vida pública de Juárez, pero poco acerca de la privada (bienes, matrimonio, hijos...). En cuanto a su estancia en las logias masónicas la información es escueta y antagónica. Procuraré enlistar datos acerca de ello, aunque antes me gustaría aportar dos comentarios en cuanto a sendos errores que circulan entre las logias masónicas:

1) El error de que Juárez haya sido el primer (o único) presidente masón de nuestra República; 2) El error de que don Benito haya sido el fundador del *Rito Nacional Mexicano.*

Acerca de la primera equivocación baste con significar que, antes que Juárez, fueron masones, entre otros, Guadalupe Victoria (yorkino), Gómez Farias (Nacional Mexicano), Santa Ana (escocés) y la gran mayoría de la veintena de presidentes que le precedieron, además de que, entre los posteriores, basta citar a Porfirio Díaz o al xalapeño Lerdo de Tejada. En cuanto al segundo error, se descalifica apuntando que el *Rito Nacional Mexicano* se fundó el 26 de marzo de 1826, cuando Benito era un jovenzuelo de veinte años que tan siquiera dominaba correctamente el español como lengua materna; además, no era representante de ningún interés publico ni en su Estado ni en México.

Ahora bien, por lo que se refiere a su filiación masónica, apuntaremos las opiniones de algunos autores: para Salvador Borrego (*América Peligra*, 1966) Juárez se inició en la *masonería* cuando era estudiante de Derecho en Oaxaca (1827), a los 21 años; en la época de Poinsett (1825-1829) fue masón del rito *yorkino* y luego habría obtenido el grado noveno (superior) en el *Rito Nacional Mexicano*. El 15 de enero de 1847 (41 años, Margarita Maza 21, cuatro de matrimonio, año de la intervención estadounidense) fue iniciado en este rito en la cámara de senadores, que a su vez funcionaba como templo masónico.

Jorge Rogelio Álvarez (*Enciclopedia de México*, 1988) escribe que su ingreso en las *logias* es coherente con los datos que ofrece Borrego, lo mismo que la fecha de su inicio en el *Rito Nacional Mexicano*; Álvarez, no obstante, puntualiza que la *logia* receptora fue *Independencia N.º 2*.

Armando Ayala Anguiano en *México de Carne y Hueso* asegura que, sin dejar la religión católica..., ingresó en la *masonería* del rito *yorkino* hacia 1830. Ayala lleva el agua a *cierto molino*.

Lorenzo Frau Abrines en el *Diccionario Enciclopédico de la Masonería* (tomo IV, pág. 445) anota a Juárez, sin excesivo rigor, en su lista de masones mexicanos prominentes, en la que aparecen, entre otros, Agustín de Iturbide y Victoriano Huerta.

El escritor estadounidense Richard E. Chism, en *Una contribución a la Historia Masónica de México* (1899), pasa de largo sobre Juárez. En la página 44 es el insigne Benito Juárez y en otro renglón Benito Juárez. En la página 60 es tan sólo el presidente Juárez. Nunca aparece su actividad masónica en una obra especialmente dedicada a historiar la *masonería mexicana*. Puede existir una razón que justifique tan injustificable omisión por parte del norteamericano: Chism advierte que una de sus fuentes informativas es... *Porfirio Díaz*; ¡acabásemos!

Referencia bibliográfica obligada e indiscutible es José María Mateos (*Historia de la Masonería en México*, 1884). Para él, Juárez era, en 1855, masón del *Rito Nacional Mexicano*, lo mismo que Comonfort —más tarde *escocés*—, el presidente de entonces Juan Álvarez y don Melchor Ocampo.

Aunque el licenciado Juárez gobernó durante casi quince años (enero 1858-julio 1872), parece que para José María Mateos su actividad masónica tuvo poco que ver con la marcha de la *masonería mexicana*. Mateos no menciona las fechas y hechos notables de su ingreso en las *logias*, sus posibles cambios de filiación ritual y tan siquiera el día de su deceso, acaecido en la capital.»

CONSTANCIA HISTÓRICA DE LA ACTUACIÓN MASÓNICA DE DON BENITO JUÁREZ GARCÍA

ANDRÉS CLEMENTE VÁZQUEZ
http://orbita.starmedia.com/miggarme/constanciajuárez.htm

La benefactora y progresista asociación masónica cumple en estos momentos el más sagrado de sus deberes, al venir a depositar, en torno a la tumba de uno de sus miembros más ilustres, las flores y los perfumes que simbolizan la gratitud y la simpatía, al mismo tiempo que el más profundo dolor.

> *¡Cuán rápidamente pasan los hombres de la vida a la nada y con qué velocidad van a hundirse en los abismos del pasado los acontecimientos más extraordinarios!*

Todavía ayer, el hermano Benito Juárez tomaba asiento en nuestros bancos y dejaba oír su severa y respetable voz en nuestras deliberaciones, encaminadas siempre a procurar el bien de la patria o de la humanidad; todavía ayer, representaba en la República el inmaculado pendón de la libertad, de la perseverancia y de la fe; ayer, aún buscaba afanoso la pacificación de México, sereno e impasible en el cumplimiento de su elevado cometido, sin dejarse influenciar para nada, ni de los halagos de los unos ni de las amenazas de los otros.

¡Y ya no existe!

Este pueblo entristecido y lloroso, estas paredes enlutadas, aquel modesto ataúd, ese lúgubre gemido de intenso duelo que se ha ido escuchando en todos los rincones de la República desde el 19 de julio, son el testimonio irrefutable de las excelsas virtudes del hermano que hemos perdido, *nuevo Avax*, que incesantemente combatía por la luz.

¡Ah!, permítanme una ligera reminiscencia, siquiera sea como relámpago de consuelo en esta tétrica y luctuosa noche, en estas horas trágicas de consternación y de recogimiento: era el 15 de enero de 1847 en el Senado de la ciudad de México, con simples y sencillos adornos y los símbolos de la masonería, cuando un hombre, todavía en el vigor de su edad, esperaba pausadamente en el departamento de las reflexiones a que se le diera aviso de que iba a ser recibido masón del muy respetable *Rito Nacional Mexicano*; aquel hombre era diputado al Congreso general por el Estado de Oaxaca y se llamaba BENITO JUÁREZ GARCÍA. Desde aquella noche memorable en que el nuevo masón adoptó el nombre simbólico de *Guillermo Tell*, queriendo significar tal vez que había de ser enérgico y constante como el héroe suizo en defensa de las libertades patrias, Juárez no se apartó ni un solo instante de la conducta y modelo de conciencia que se había trazado, y no solamente se hizo grande por sus virtudes propias, sino por las de los hombres eminentes de que se rodeó en todas las vicisitudes de su extensa carrera política.

Juárez venía desde los tiempos de la dominación española; aunque niño, había contemplado las proezas de los caudillos de la independencia y paulatinamente fue sintiendo en su corazón el deseo de liberar a la patria de los grilletes morales que no habían podido quitarle el venerable cura de Dolores y sus ilustres compañeros Morelos y Guerrero.

No necesito decir si nuestro hermano, hoy cadáver, logró o no sus trascendentales objetivos y propósitos; los hechos de Benito Juárez son glorias de México y para México, y en cada uno de nuestros corazones se conserva entera la memoria de su vida.

El grande hombre se recibió de masón porque adivinaba toda la importancia de la *masonería*. El *Rito Nacional Mexicano* fue fundado en 1825, cuando en nuestra patria faltaban todavía muchísimas cosas, quizá demasiadas, por hacer y, sobre todo, las grandes y notables conquistas de las libertades; quizá luego, y sólo hasta cierto punto, la *masonería* careció de razón de ser, porque la ignorancia y el fanatismo perdían terreno en la mayoría de los espíritus; pero continuaba siendo necesario que la gran familia masónica se conservara compacta y organizada, dispuesta a combatir en el momento oportuno, oportunidad que se presentó en las guerras de la Reforma y de la Intervención, y bien sabía Juárez del gran apoyo encontrado en las logias, al sostener sus incesantes luchas con los enemigos del progreso y de las instituciones democráticas. Benito fue masón porque vio en la *masonería* la caridad, la fraternidad y el mutuo respeto y auxilio, porque encontró que ella no acataba ningún credo religioso específico, sino que declaraba la libertad de cultos; porque, en resumen, comprendió que ser masón equivalía a tanto como ser liberal. Entendió, así mismo, que si en la *masonería* ciertas ritualidades que a algunos se les pueden antojar ridículas, era debido única y exclusivamente a que la imaginación humana precisa de las fórmulas y símbolos para fotografiar las ideas y para garantizar en el mundo la persistencia de leyes y doctrinas, sobre todo cuando esos símbolos y esas fórmulas conservan el sabor ancestral y tradicionalmente histórico caracterizando la naturaleza de una institución. Ese elevadísimo concepto que el hermano Juárez tenía de la *masonería*, la religiosidad con que desempeñó sus deberes masónicos creando escuelas, protegiendo la libertad de la palabra y la prensa y velando por el exacto cumplimiento de las prescripciones constitucionales, así como el patriotismo sin mácula que demostró en todas las ocasiones..., ese elevadísimo concepto, digo, hizo que la *masonería* premiara tan relevantes méritos concediéndole los más elevados puestos de la sociedad y dispensándole el honor de confiarle, en compañía de otras personas beneméritas, la reforma de la ley fundamental del rito, cuya ley así reformada está vigente en la actualidad.

En febrero de 1847, Juárez era elegido vicepresidente de la *Gran Logia La Luz*; en el año 1854, al proclamarse el *Plan de Ayutla*, se le daba el séptimo grado y en 1862 el noveno, es decir, el principal del rito mexicano. Pocos años después, en 1871, recibía el diploma de *Gran Inspector General* del rito *escocés antiguo y aceptado*, al Oriente de España, y fue declarado miembro del grado superior de la *maso-*

nería francesa, e individuo honorario de todos los grandes cuerpos y *logias* del mismo rito *escocés* reformado en México. En el taller de que formaba parte desempeñó dos veces el elevado cargo de *Venerable*, y para la muy respetada *Gran Logia del Rito Nacional Mexicano* se le nombró una vez *Gran Maestre*, el último y más elevado honor masónico a que se puede aspirar.

Yo lamento profundamente que la circunstancia de ser el orador del taller al que pertenecía don Benito me haya puesto en la necesidad de escribir la oración oficial, por así decirlo, de esta ceremonia, y no lo lamento por otra cosa que por el fundado temor que abrigo de que mi débil palabra no pueda sintetizar con exactitud la gran valía humana, personal y profesional, del ilustre reformador. Me consuela, no obstante, la idea de que sentiran y persaran todo lo que yo no sea capaz de decir.

A nombre en particular del taller número dos del muy respetable *Rito Nacional Mexicano*, y a nombre así mismo de todos los masones de México, doy las gracias más expresivas y profundas a los ciudadanos que han venido a contribuir con su presencia a la solemnidad de esta reunión. La *masonería* no ha tenido el menor inconveniente en hacer públicos estos funerales, porque sus dogmas son el orden y la concordia, y porque su exclusivo fin es la felicidad del hombre por medio de la virtud. Están ya en el olvido, por fortuna, los tiempos en que los apóstoles de la ciencia tenían que ocultarse en las catacumbas, y bien podemos decir al pueblo muy alto y muy terminantemente que los masones no queremos otra cosa que la fiel observancia de los principios consignados en la Constitución de 1857.

Y TÚ, INOLVIDABLE HERMANO, ¡DESCANSA EN PAZ!

Tú poseíste la perseverancia de Galileo, la fe de Jerónimo de Praga y la virtud de Sócrates. Naciste pobre de bienes y relativamente pobre moriste también, que es el mayor elogio que de ti puede hacerse. Cuando expiraste, la nación entera, el mundo liberal todo, se enlutó de negro y de tristeza, y ante tu féretro las pasiones enmudecieron para que se encomiaran exclusivamente la nobleza de tu espíritu y la magnitud de tus hechos: *buen padre, excelente esposo, integérrimo patriota,* bien merece tu tumba las guirnaldas y las ofrendas que Mirabeu pedía pocas horas antes de fenecer para entrar en el sueño postrero y eterno. Desde el lugar donde tus cenizas reposan, conmoverán perpetuamente el corazón de los mexicanos, del mismo modo que Enselado, sepultado, estremecía las montañas. Sí has adquirido el derecho, sí, de que sobre tu fosa cubierta de bendiciones no se grabe otro epitafio que el que encierran estas dos palabras inmortales: BENITO JUÁREZ.

> *¡Adiós, hermano, adiós! A tu muerte los mexicanos todos han depuesto el arma fratricida, y se han dado sobre tus restos venerables el dulce ósculo de la reconciliación. Está tranquilo, Benito, por el porvenir de la patria que tanto amaste.*

Las instituciones se han salvado, la sangre mexicana ha dejado de correr y se siguen consolidando los cimientos de la regeneración de México... Y vuelve a nuestra imaginación tu imagen indestructible que nos ayudará a vencer cualquier atisbo de flaqueza o debilidad, a no cometer errores, mientras recordamos constantemente tu voz, exclamando:

¡LIBERTAD, IGUALDAD, FRATERNIDAD!

Todo por el triunfo de la verdad y la justicia, por el progreso indefinido del género humano...

DEL CÓDIGO MORAL MASÓNICO

El verdadero culto que se da al Gran Arquitecto del Universo consiste, principalmente, en las buenas obras.

Ten siempre tu alma en un estado puro para aparecer dignamente delante de tu conciencia.

Ama a tu prójimo como a ti mismo.

No hagas mal para esperar el bien.

Estima a los buenos, ama a los débiles, huye de los malos, pero no odies a nadie.

No lisonjees a tu hermano, pues es una traición; si tu hermano te lisonjea teme que te corrompa.

Escucha siempre la voz de tu conciencia. Sé el padre de los pobres; cada gemido que tu dureza les provoque son otras tantas maldiciones que caerán sobre tu cabeza.

Evita las querellas, prevé los insultos, deja que la razón esté siempre a tu lado.

Parte con el hambriento tu pan y a los pobres ofréceles tu casa; cuando vesas al desnudo, vístelo, y no desprecies tu carne en la suya.

No seas ligero en airarte, porque tu ira reposa en el seno del necio.

Detesta la avaricia, porque quien ama la riqueza ningún fruto sacará de ella, y esto también es vanidad.

El corazón de los sabios está donde se practica la virtud, y el de los necios, donde se festeja la vanidad.

Si te avergüenzas de tu destino, tienes orgullo, piensa que aquél ni te honra ni te degrada; el modo con que cumplas te hará uno u otro.

Lee y aprovecha, ve e imita, reflexiona y trabaja, ocúpate siempre del bien de tus hermanos y trabajarás por ti mismo.

No juzgues ligeramente las acciones de los hombres, no reproches y menos alabes; antes procura sondear bien los corazones para apreciar sus obras.

Sé entre los profanos libre sin ciencia, grande sin orgullo, humilde sin bajeza; y entre los hermanos, firme sin ser tenaz, severo sin ser inflexible y sumiso sin ser servil.

Habla moderadamente con los grandes, prudentemente con tus iguales, sinceramente con tus amigos, dulcemente con los pequeños y eternamente con los pobres.

Justo y valeroso defenderás al oprimido, protegerás la inocencia, sin reparar en nada de los servicios que hagas.

Exacto apreciador de los hombres y las cosas, no atenderás más que al mérito personal, sean cuales fueran el rango, el estado y la fortuna.

El día que se generalicen estas máximas entre las personas, la especie humana será feliz y la masonería habrá terminado su tarea y cantado su triunfo regenerador.

NOMBRES QUE SE DAN AL MASÓN EN CADA UNO DE LOS 33 GRADOS

(y el grado mismo)

Grados simbólicos

1.° Aprendiz
2.° Compañero
3.° Maestro. Este grado confiere la plenitud de los derechos masónicos

Grados capitulares

4.° Maestro secreto
5.° Maestro perfecto
6.° Secretario íntimo
7.° Prebostc y juez
8.° Intendente de los edificios
9.° Maestro elegido de los nueve
10.° Ilustre elegido de los quince
11.° Sublime caballero elegido
12.° Gran maestro arquitecto
13.° Del Real Arco
14.° Gran elegido perfecto o de la Bóveda Sagrada y Sublime Masón
15.° Caballero de Oriente o de la Espada
16.° Príncipe de Jerusalén
17.° Caballero de Oriente y Occidente
18.° Soberano príncipe Rosa-Cruz o caballero Rosa-Cruz

Grados filosóficos o consejiles

19.° Gran Pontífice de la Jerusalén Celeste o Sublime Escocés
20.° Venerable gran maestro de las logias regulares

21.º Caballero prusiano o patriarca noaquita
22.º Príncipe del Líbano o Caballero Real Hacha
23.º Jefe del Tabernáculo
24.º Príncipe del Tabernáculo
25.º Caballero de la Serpiente de Bronce o de Airaín
26.º Príncipe de la Merced o Escocés Trinitario
27.º Gran comendador del templo
28.º Caballero del Sol
29.º Gran Escocés de San Andrés
30.º Gran elegido caballero Kadosch o del Águila Blanca y Negra

Grados sublimes

31.º Gran inspector inquisidor comendador
32.º Sublime y valiente príncipe del Real Secreto
33.º Soberano Gran Inspector General

MASONES ILUSTRES DE LATINOAMÉRICA

Acosta, Mariano
Gobernador de la provincia de Buenos Aires, vicepresidente de la República Argentina

Aguirre Cerda, Pedro
Presidente de Chile

Albornoz, Miguel Ángel
Presidente de Ecuador

Alfonso Sierra Partida
Intelectual mexicano

Allende, Ignacio
Prócer de la independencia mexicana

Allende, Juan José
Militar argentino, compositor de la música del himno de Ecuador

Allende, Salvador
Presidente constitucional de la República de Chile

Almeida, Aurelio
Escritor cubano

Almeyras, Juan Ignacio Zuazo, marqués de
Abogado cubano

Altamiro, Ignacio Manuel
Poeta, abogado y coronel mexicano

Álvarez, Francisco
Agrónomo colombiano

Alvear, Carlos María
General argentino

Alves, Castro
Poeta más popular de Brasil, abolicionista

Alves de Lima e Silva, Luis
Duque de Caxias, protector del ejército brasileño, por dedicar su vida al ejército y salir victorioso en todas las campañas

Andrada e Silva, Antonio Carlos de
Magistrado y político, participó en la Revolución de 1817. Fundador, junto a su hermano, del Grande Oriente do Brasil.

Ballivian y Segurola, José
General, presidente de Bolivia 1841-1847

Barrientos Ortuño, Rene
General, presidente de Bolivia 1964-1966

Belgrano, Manuel
Héroe nacional de Argentina

Bello, Andrés
Jurista, autor del Código Civil de Chile y Colombia

Blanco, Antonio Guzmán
General, presidente de Venezuela

Bolívar, Simón
Libertador de Colombia, Venezuela, Ecuador, Perú y Bolivia

Bolognesi, Francisco
Héroe nacional de Perú

Bossa, Simón
Abogado colombiano

Bustamante, Anastasio
Presidente de México

Caballero, Bernardino
Presidente de Paraguay

Calmon Do Pin E Almeida, Miguel
Marqués de Abrantes, ministro de Estado, ministro de Hacienda en 1827, 1837 y 1842; consejero de Estado en 1843, Brasil

Calles Plutarco, Elías
Presidente de la República Mexicana

Camacho Roldán, Salvador
Presidente de Colombia en el siglo XIX

Camara, Arruda
Médico, naturalista, fraile carmelita. Considerado el precursor y preparador de la Revolución de 1817 y de la independencia del Brasil

Campero, Narciso
Presidente de Bolivia 1880-1884

Cárdenas, Lázaro
Presidente de México

Carneiro, Gomes
Militar. Destacó activamente en la guerra del Paraguay

Caro, Pedro José
Político cubano

Castillo, Benjamín del
Legislador argentino

Castillo y Rada, José María del
Abogado, ministro y ex presidente colombiano del siglo XIX

Conangla y Fontanilles, José
Político y escritor español. Licenciado en Derecho y Letras. Fundó el Centro Catalán en La Habana

Córdoba, Andrés
Presidente de Ecuador

Cortés, Enrique
Economista y diplomático colombiano

Cunha Barbosa, Januário Da
Poeta, periodista. Uno de los grandes nombres de la emancipación brasileña

D'Amico, Carlos
Ministro de Gobierno de Buenos Aires. Fue gran maestre del Gran Oriente del Rito Argentino

Feraz de Campos Sales, Manuel
Presidente de Brasil

Fernández de Madrid, José
Médico y héroe de la independencia venezolana, vicepresidente (1814)

Flórez, Juan José
Prócer venezolano y presidente de Ecuador

Fonseca, Deodoro da
Proclamador de la República del Brasil y jefe del Gobierno provisional

Garcés Ibarra, Hugo Humberto
Tesorero fiscal en Trujillo (Perú)

Garcés, Modesto
General colombiano

García Herrera, Álvaro
Abogado y diplomático colombiano

García Iñíguez, Calixto
Jurista cubano

General Ballivián
Presidente de Bolivia 1951-1952

Gómez Toro, Panchito
Miembro del Ejército Independentista Cubano

Gonçálvez, Bento
Fue el masón más activo de su época. Consiguió juntar hermanos para el movimiento emancipador de los esclavos (1781-1846)

Gutiérrez de Piñeres, Vicente
General, prócer y poeta colombiano

Gutiérrez, Santos
Presidente de Colombia en el siglo XIX

Guzmán Blanco, Antonio
Presidente de Venezuela

Hernández, José
Poeta, autor de Martín Fierro

Hidalgo y Costilla, Miguel
Padre de la independencia mexicana

Ingenieros, José de
Filósofo argentino

Isaacs, Jorge
Novelista colombiano

Jardim, Silva
Orador, tribuno popular, conferenciante
y periodista brasileño

Juárez García, Benito
Indio, abogado, ideólogo y político mexicano.
Presidente de la República de México en el siglo XIX.
Por su acendrada defensa a las instituciones
y al liberalismo se le denominó y se le conoce como:
El Benemérito de las Américas

Largacha Hurtado, Froilán
Cofundador de la Universidad Externado de Colombia,
ministro de Estado en las carteras de Hacienda
y Guerra. Miembro del ejército plural de 1863 y en esa
calidad presidente de la República en el mismo año.
Presidente del Estado Soberano del Cauca en 1861.
Presidente de la Corte Suprema de Justicia
hasta su muerte, acaecida en Bogotá en 1892

Larrea Alba, Luis
Presidente de Ecuador

Martí, José
Libertador de Cuba

Martins, Domingo José
Jefe de la Revolución Pernambucana de 1817,
en que fue ejecutado

Miranda, Francisco de
Patriota venezolano, mariscal y libertador de Perú

Mitre, Bartolomé
General, militar y político argentino que fuera presidente de Argentina en 1870

Montalvo, Abelardo
Presidente de Ecuador

Montero Ríos, Eugenio
Jurista, profesor y político español. Firmó el tratado de París con el que finalizó la guerra de Cuba

Moreno, Mariano
Jurisconsulto y militar argentino del siglo XIX

Moreno, Mario «Cantinflas»
Actor

O'Higgins, Bernardo
Libertador de Chile

Osorio, Manuel Luiz
General Osório, marqués Do Herval, héroe de la Guerra del Paraguay. Ministro del Imperio y protector del Arma de Caballería del Ejército brasileño

Páez, José Antonio
Presidente de Venezuela

Pardo Morales, Arturo
Abogado colombiano

Pellegrini, Carlos
Presidente de Argentina

Prieto Muelle, Adriel
Decano por virtud del Colegio Odontológico del Sur de Perú (Cusco, Puno y Madre de Dios). Filántropo muy respetado en todas las esferas sociales, conocido sobre todo por ayudar a la gente pobre

Ramos, Nereu
Interinamente ocupó la presidencia de la República de Brasil, vicepresidente de la República (1946-1951)

Rojas Garrido, José María
Presidente de Colombia

Samper Agudelo, José María
Abogado, literario, poeta, periodista y parlamentario colombiano

San Martí, José de
Libertador de Argentina, héroe de Chile y Perú

Santander, Francisco de P.
Héroe nacional de Colombia

Sarmiento, Domingo Faustino
Presidente de la República Argentina 1868-1874. Gran maestre de la masonería argentina

Sucre, Antonio José de
Libertador y presidente de Perú

Toro, Manuel Murillo
Presidente de Colombia

Torres, Joaquín José Rodríguez
Matemático brasileño

Urbina Viteri, José María
Presidente de Ecuador, donde abolió la esclavitud

Varela, José Pedro
Fundador de la escuela pública en Uruguay

Vizconde de se Inhauma, José Joaquín Inacio
Militar y político brasileño. Héroe de la guerra de Paraguay

Zea Hernández, Germán
Parlamentario y ministro de Estado colombiano

Epílogo

— Juicio al protagonista de esta historia —

Con la muerte de Juárez la presidencia pasó, conforme a la Constitución, a Lerdo. No se suscitó con ello una seria cuestión legal, puesto que había sido elegido presidente del Tribunal Supremo de Justicia en diciembre de 1867. Había, sin embargo, la posibilidad de que los porfiristas hallaran alguna excusa para extender su desacuerdo con Juárez al nuevo presidente, así que Lerdo tendría que actuar con cautela al principio. Tuvo también que reconocer que habría un inevitable período de ajuste a la presencia de un nuevo dirigente después de tantos años de ver la figura avasalladora de Juárez. Reconociendo estas circunstancias, el nuevo presidente mantuvo intacto el gabinete juarista, evitando con ello una ruptura consiguiente con los partidarios del presidente anterior y, al mismo tiempo, una confrontación con los partidarios de Díaz, que, después de todo, habían perdido su argumento basado en la «no reelección». El grado de éxito que alcanzó Lerdo con la política que desplegó al principio se puede medir con la elección casi unánime para un mandato completo a finales de octubre de 1872.

Durante los tres años y medio siguientes México gozó de un período de tranquilidad, prácticamente desconocido en los últimos tiempos. El método de gobierno utilizado por Lerdo no fue particularmente diferente del de Juárez y sus metas legislativas generales eran esencialmente las de su predecesor —hecho que no sorprende demasiado dada la estrecha relación que tuvo con Juárez y el gran papel que desempeñó en la administración anterior—. Lerdo incluso fue un poco más afortunado, por lo que se refiere a la legislación, de lo que fue Juárez. Esto se debió, en parte, al paso del tiempo; algunas medidas se hicieron aceptables una vez que el calor de la oposición inicial desapareció. Fue así mismo la consecuencia de que Juárez había preparado el camino, había proporcionado una suerte de proceso educativo que sólo daría frutos después de su muerte. Poco fue lo verdaderamente nuevo del programa de Lerdo, porque el impulso cabal de la reforma no había cambiado. La administración de Lerdo ofreció un período de estabilización, de unión de muchos cabos sueltos y de preparación para una nueva fase en la vida de México. Aunque hubo oposición a Lerdo y a su programa, gozó de una «era de buenos sentimientos». Y, no obstante, sin restar mérito a su inmensa capacidad y a su sinceridad de propósitos, nunca hubiera logrado lo que logró si Juárez no le hubiera precedido.

El brevísimo período de relativa calma en que vivió el país bajo Lerdo llegó a su fin en la primera parte de 1876, cuando las ambiciones de Díaz fueron secundadas por algunos militaristas, por una variedad de elementos descontentos y por aquellos a quienes atraía la personalidad, el encanto, la oportunidad asociada con Porfirio Díaz. Una rebelión armada surgió entonces contra Lerdo y su decisión de reelegirse. Pero fue contenida durante un tiempo por la Administración y el presidente fue debidamente reelegido, hecho no del todo sorprendente, en las elecciones convocadas en el otoño. Cuando Inglesias, el nuevo presidente del Tribunal Supremo y uno de los tres amigos cercanos que compartieron aquellos largos días de Chihuahua durante la intervención francesa, se volvió contra él, los días de Lerdo estaban contados. Es interesante saber que Iglesias asumió de algún modo, respecto al primer mandatario, el papel que éste había asumido respecto a Juárez, si bien él nunca tuvo la misma influencia en la política. Apenas hizo saber Iglesias, sin embargo, que él y los porfiristas estaba decididos a destruir a Lerdo, el presidente se vio obligado a exiliarse. La era de Juárez había terminado, si no es que lo hizo con su muerte; la era de la Reforma terminaba también, al menos en ciertos aspectos.

Así empezó la época de Díaz, el controvertido período del rápido crecimiento económico con un dirigente cada vez más dictatorial, que no acabaría hasta 1910. Con el advenimiento de la gran revolución que se inició en aquel año, el país se volvió a algunas de las metas ignoradas de Juárez y la Reforma, y añadió a ellos proyectos de cambios sociales drásticos que el oaxaqueño no pudo jamás vislumbrar. Durante más de treinta años, por más que Díaz proclamara lo contrario, la Reforma pareció haber muerto. Puede parecer que el único legado que dejó Juárez a su país fue el precedente de prolongar el período de un titular del ejecutivo y un sistema político bajo el cual sólo una rebelión armada podría destituirlo y abolir la maldición del personalismo. Por supuesto, Juárez no creó el sistema, pero ¿hizo algo por cambiarlo? ¿Terminó una época de grandeza con una nota amarga? Los mexicanos y los amigos de México todavía discuten acerca de los aciertos y de los errores de Benito Juárez, y de las críticas y alabanzas surgió el intento de equilibrar los dos enfoques, para presentar la historia de un ser humano con éxitos incompletos y debilidades humanas.

Es ésta, obviamente, una apreciación limitada. Sin embargo, ¿cómo puede uno sacar un balance escrito de la vida de un hombre y su tiempo? ¿Pueden un hombre o una época ser medidos por sus sueños y esperanzas o solamente por realizaciones concretas? ¿Significan algo las palabras que se escriben o que se hablan, o son las acciones lo único que cuenta? ¿Se permitiría a los contemporáneos de Juárez hacer una evaluación de su vida o debería dejarse esa tarea al historiador, que sólo posee testimonios limitados? ¿Y a cuál de los dos habrá que creer? Acaso lo único correcto sea que la historia de la vida de todo hombre y su carrera hablen simplemente por sí mismas, diciendo lo que tengan que decir al observador particular. Sin embargo, esto nunca sucede con un hombre que ha ejercido una profunda influencia en la historia y no es el caso, tampoco, de Juárez. Siempre ha habido balances diversos y en ocasiones contradictorios.

Aquellos que trabajaron con y contra Juárez mientras vivió formaron sus opiniones conforme con las ideas partidarias. Reaccionaron ante el ser humano que conocieron y cuya política y personalidad ejercieron atracción sobre ellos, o bien las repelieron. Hombres como Prieto y Lerdo pudieron desviarse del apoyo decidido a la fuerte oposición y, en el caso de Prieto, volver a respaldarlo. Algún que otro enemigo se convenció y se convirtió en partidario de la administración de Juárez. Las razones variaron tanto como las gentes comprometidas en el asunto. La mayoría de los observadores concordarían en que Juárez careció de la profundidad intelectual de algunos de sus contemporáneos, y esto puede haber contribuido a la oposición. Fue una víctima de la ambición: sucumbió a la creencia de que, a pesar de violar directamente la Constitución, su permanencia en el poder era esencial para el bienestar de México. Inevitablemente, hubo hombres que sabían que Juárez había dejado de ser indispensable, si acaso lo fue alguna vez; de ellos, algunos tenían sus propias ambiciones y convicciones de que portaban algo que dar a la nación mexicana que la presencia de Juárez impedía. Juárez fue un hombre despiadado que vivió en una época despiadada y algunas veces tomó medidas contra sus adversarios que parecieron arbitrarias o injustas. La prolongada prisión de González Ortega y la ejecución de Maximiliano fueron temas de crítica honesta y hubo muchos otros actos, menos significativos, que provocaron protestas en la hora en que ocurrieron.

Si, por otra parte, a despecho de los cargos que puedan impugnarse a Juárez, hubiera alcanzado las metas que se fijó, si la Reforma se hubiera realizado plenamente, sus pecados serían más fácilmente perdonados. Los fracasos fueron serios: la verdadera economía capitalista estuvo lejos de realizarse, de modo que las condiciones de vida de las masas mexicanas mejoraron muy poco si acaso; la reforma agraria casi no se puso en obra y el número de grandes latifundistas se incrementó a la par que el de los campesinos sin tierras; la democracia no cristalizó y las elecciones libres siguieron siendo un mito; la igualdad ante la ley no sólo no se logró sino que las condiciones empeoraron y la educación para el pueblo tuvo muy pequeños progresos; en su mayor parte, las promesas e ideales de la Reforma no pasaron de eso, de promesas e ideales. Si sólo estos fracasos se sumaran a los defectos y fallos del hombre, el nombre de Juárez hubiera desaparecido de la Historia.

Hubo un tiempo, durante la época porfirista, en que algunos autores se valieron de la crítica a Juárez con alguna habilidad para disminuir el prestigio y la memoria del hombre cuyo nombre y reputación amenazaban la prosperidad y estabilidad de la dictadura de Díaz. Afortunadamente, estos ataques propiciaron la aparición de estudios del período de Juárez que llevaron a una apreciación más equilibrada. Las pruebas en defensa de Juárez se acumularon a tal punto que incluso los ataques de revolucionarios del siglo XX en su contra por no haber vislumbrado cambios más radicales han sido de poca monta en la apreciación global del hombre.

A una centuria de distancia, los pequeños celos y rivalidades políticas que despertó en vida desaparecen y la necesidad de debates ideológicos o de una defensa específica ceden el paso. El resultado es un retrato nítido de un hombre que, desde sus primerísimos días, ejerció una influencia trascendente en la gente que le rodeaba y legítimamente se ganó el reconocimiento como héroe de la historia mexicana, que fue paradigma brillante para las Américas y representante para Europa de la creciente fuerza del republicanismo y de la oposición a la intervención extranjera.

Niño aún y adolescente desconocido en su estado natal, Juárez fue un ejemplo viviente para sus semejantes, dondequiera que se encontraran, de que el deseo, el esfuerzo y la dedicación traen consigo superación y una vida mejor que la que vivieron sus padres. Tomó las oportunidades que se le ofrecieron, aun cuando se trató de darle una educación de seminario que no deseaba, y los cambios que sufría México le permitieron volverse al Derecho, que prefería. Luego dirigió sus estudios hacia el alivio de la pobreza y la ignorancia de sus conciudadanos a través de la enseñanza y el ejercicio del Derecho. Aceptó e incluso buscó oportunidad para emplearse en puestos políticos inferiores. Esto, por supuesto, le ayudaba a subir en su carrera profesional, pero él se dedicaba a sus tareas con gran preocupación por lo que podría hacer por los otros más que por sí mismo. Soportó privaciones, calumnias e incluso el encarcelamiento sin titubear en sus objetivos.

Si Juárez nunca hubiera tenido oportunidad de hacer más de lo que realizó en esta primera etapa, no habría causado impresión fuera del país. Sin embargo, hubiera merecido más. Sin lugar a duda, ha habido muchos individuos que hicieron lo poco que pudieron para mejorar el mundo, que pasaron inadvertidos pero cuyo mérito es igual. Afortunadamente, las circunstancias de México eran tales que permitieron que Juárez tuviera la oportunidad de aumentar su campo de actividad y alcanzar renombre.

Cuando Juárez llegó a gobernador demostró que tenía ideas gubernamentales y la habilidad política y administrativa para llevar a cabo parte de su programa. Demostró las ventajas, y en verdad la necesidad, de comprometerse con la época si quería vencer la fuerte oposición conservadora. Se identificó claramente con el creciente movimiento de reforma de México y pugnó por que se cumplieran sus metas en el plano estatal: mejor administración fiscal, mayor honestidad e integridad en el gobierno, situación económica más desahogada, más democracia, mejor sistema de justicia y apertura de oportunidades educativas como base para el crecimiento del país. No estaba solo, había otros gobernadores cuyos programas eran igualmente encomiables y que también hicieron progresos. No era en ese tiempo el líder de la nación, pero sí era uno de los líderes. A no dudar, la historia habría registrado sus aportaciones a México e incluso hubiera sido conocido en otros países de la América Latina, cuando atravesaron por períodos semejantes de cambio. Después de todo, no era Juárez el único que sembró en otros la idea de librarse de la opresión de años enteros de privilegios eclesiásticos y de dominación conservadora; aquella época de la historia mexicana sirvió en conjunto de prueba de que se podía y se debían desplegar todos los esfuerzos, donde fuera, para alcanzar resultados equiparables. Todos y cada uno necesitaban que los estimularan, y los ejemplos obraron en reciprocidad con el beneficio en las personas y los países comprometidos.

La Reforma aún no había llegado en realidad y las represiones de Santa Ana por un tiempo hicieron sentir que nunca lo haría. Juárez fue uno del pequeño grupo de exiliados que vivieron en Nueva Orleáns sufriendo las agonías de tal vida y soñando, estudiando y trabajando para la planificación de un programa completo. Acaso Juárez agregó poco a su fama durante el exilio, pero fue uno del círculo que, como sabían muchos mexicanos, sufrió graves injusticias a manos de un presidente cuya impopularidad acrecentaba. Recibió influencia de hombres como Ocampo, que compartió el exilio, y Álvarez, que conduciría la revolución próxima. El solo hecho de que hombres tan dedicados y tan prominentes como estos exiliados continuaran esforzándose por el cambio tuvo su influjo en muchos de los que permanecieron en el país. Sin aquellos líderes ningún movimiento contra Santa Ana y el *statu quo* habría podido tener posibilidad de éxito.

Con la victoria de la revolución de Ayutla, Juárez asumió su legítimo lugar como miembro del ministerio y convenientemente autorizó la ley que lleva su nombre, una de las más importantes de las primeras leyes que abatieron la tradición e hicieron renacer la esperanza de igualdad ante la ley en México. La Ley Juárez fue erróneamente interpretada como un ataque directo al clero; no se la consideró como la revisión completa del sistema judicial que era. Se le encargó a Juárez y éste de buena gana dio su nombre y sus esfuerzos a lo que suponía abriría el fuego contra la restricción del poder del clero. Sólo por esta ley causó Juárez impacto en la historia por venir de México, impacto que nunca podría ser olvidado. Aunque probablemente no se percató de las consecuencias de este acto solo, pero consideró que tenía la suficiente importancia y por ello permaneció en un gobierno con el que estaba descontento para terminar su tarea. También se dio cuenta de que sólo era un pequeño paso adelante, el comienzo de un conjunto mayor de cambios, y se dispuso a continuar colaborando bajo circunstancias diferentes.

Juárez retornó a Oaxaca para una breve estancia; seguía siendo partidario leal, aunque no siempre en completo acuerdo, de la Administración de Comonfort. Fue también un firme defensor de la Constitución de 1857 y de las pocas reformas incorporadas a ella. Cuando fue elegido presidente del Tribunal Supremo y se le invitó a servir en el gabinete, aceptó sin vacilaciones, aunque no tenía idea de lo que ocurriría. Cuando Comonfort probó no estar a la altura del desafío que afrontaba, Juárez asumió el cargo de presidente y el papel de defensor del gobierno constitucional contra las fuerzas de la reacción. Sin haberlo planeado en ningún sentido, llegó así a ser el dirigente nominal de un complejo movimiento en pro de la igualdad social, la libertad de expresión y de pensamiento, la reducción de los fueros, la confiscación de las propiedades eclesiásticas y la eliminación de la influencia del clero en la política. No eran nuevas para él estas prerrogativas; sólo lo era el puesto.

Como presidente del gobierno constitucional durante la guerra de Reforma, Juárez logró atraer a su causa a hombres hábiles y capaces y organizar a tiempo un ejército que eventualmente vencería a las fuerzas conservadoras, mejor entrenadas, mejor equipadas y mejor financiadas. Al tiempo que se consagraba a sus importantes responsabilidades administrativas y militares, añadió carne al esqueleto de la Reforma con la promulgación del importantísimo cuerpo de Leyes de Reforma de 1859. Por desgracia, pero es natural, el foco de atención eran —en aquel tiempo, y para autores de tiempos posteriores— las leyes específicas tocantes a la situación de la Iglesia; en realidad esas leyes abarcaban un programa completo. Juárez proponía una vasta revisión a todo el cuerpo de administración de la justicia, así como objetivos sorprendentes y significativos en el campo de la educación; expresaba también la esperanza de que se creara un gran número de nuevos pequeños propietarios de tierras. Tomó providencias además para el perfeccionamiento de la seguridad interior, para facilitar las comunicaciones, para otorgar pensiones y mejorar la administración fiscal del gobierno. Hizo expresa la perentoriedad de quitar obstáculos al comercio interior, así como de incrementar el comercio exterior, fomentar la inmigración que viniera a suplir la escasez de hombres y de conocimientos que impedían el avance económico. El estallido que produjo la guerra estaba relacionado con los intereses clericales; sin embargo, y ya que este ambicioso programa no se podría poner en práctica mientras la lucha continuara, los aspectos anticlericales de las Leyes de Reforma de 1859 atrajeron inevitablemente mayor atención.

Y es comprensible, pues con la promulgación de las leyes que afectaban a la Iglesia y la victoria militar que siguió cristalizó la independencia de la autoridad civil respecto del poder religioso. Cualquiera que fueran las contrariedades que surgieran —y las hubo de hecho—, los poderes de la Iglesia, obstáculos para el progreso de tanto tiempo atrás, se habían reducido considerablemente. Juárez había dejado la ciudad de México como líder disputado de un país dividido y teniendo presentes sólo los vagos inicios de un programa de reforma, y regresó como el presidente aceptado y respetado de una nación más unificada con todo un conjunto minucioso de leyes y objetivos en el pensamiento.

De inmediato se dedicó a intentar resolver los graves problemas financieros que cerraban el paso a otros avances, debiendo ignorar o resistir los ataques que lanzaban a su persona sus adversarios políticos y tratando de borrar las últimas trazas del poder militar conservador aún en funciones. Fue entonces cuando tomó la difícil y crítica decisión de suspender el pago de la deuda exterior, decisión que trajo consigo demandas de acreedores extranjeros, sueños de un imperio perdido, promotores de una monarquía e intenciones de traer un príncipe extranjero.

Si Juárez hubiera podido arreglar el pago de la deuda extranjera en vez de recurrir a una moratoria, con toda probabilidad habría cubierto el pago con la hipoteca de gran parte del territorio de México a los Estados Unidos y sus oficinas aduaneras hubieran estado controladas por funcionarios extranjeros. En vez de eso liberó al país de la monarquía, de las demandas exorbitantes y frecuentemente deshonestas de extranjeros que se apoyaban en su gobierno y de los exiliados que durante años conspiraron en tierras extranjeras y proyectaron su retorno al poder, con intereses creados y privilegios de clase. Por su determinación, mejor diríamos su obstinación, Juárez logró permanecer durante la intervención francesa, así como durante la guerra de Reforma, manteniendo el símbolo de la nación mexicana. Probablemente no es exagerado decir que sus esfuerzos crearon la nación mexicana. No sólo se granjeó el respeto del pueblo mexicano, sino también el de otras naciones. Junto con sus partidarios, fue «empujado por la punta de las bayonetas imperiales», pero «reapareció para seguir luchando desinteresadamente. Sirvieron no sólo a la causa de la nación, también sirvieron al Nuevo Mundo...».

Es imposible subestimar el efecto que causó la victoria mexicana sobre Francia en todo México. Matías Romero expresó algo de ese nuevo orgullo de nacionalidad que Juárez dio a su país cuando escribió: «Obtuvimos la victoria por nuestros propios esfuerzos y sin la ayuda de ninguna nación extranjera, pese a la influencia moral de Europa y de la fuerza material de Francia y las potencias continentales. Resistimos esta gigantesca combinación sólo con el sufrimiento y patriotismo de nuestro pueblo y la firme simpatía de los Estados Unidos.» El surgimiento de ese orgullo que los mexicanos tuvieron después de la victoria del 5 de mayo en Puebla en los primeros días de la Intervención, ahora calaba en la nación. El hemisferio entero compartió este sentimiento y el republicanismo tomó nuevos bríos en Europa por el rechazo de la monarquía en México.

Como ha apuntado Frank Knapp, desafortunadamente la mayoría de las observaciones del período de la Intervención se han concentrado en la corte de Maximiliano y el punto de vista francés de los acontecimientos, pues a causa de su «heroísmo» las actividades de Juárez y de sus pocos partidarios constantes pueden «competir con lo mejor que el imperio puede ofrecer». Cierto es que estudios más recientes, incluyendo el de Knapp mismo, han proporcionado un correctivo, pero los esfuerzos de Juárez, conmovedores, vitales y al parecer fútiles, de resistir al genio militar de Francia, la violencia de los conservadores y las tragedias personales experimentadas por él también merecen atención detenida. Lo que alcanzó a hacer es notable, se lo mida con los patrones que se le mida, y pocos ejemplos similares hay en la historia moderna.

Se había ganado algo más que la independencia de Maximiliano y de los franceses, más que el respeto de las naciones europeas, que apenas si sabían que México existía. Se establecieron nuevos lazos entre las naciones del hemisferio y especialmente entre México y los Estados Unidos. Acaso las palabras de Seward, hombre al que se identifica con la amenaza de expansión de los Estados Unidos, ejemplifican ese cambio. Dijo a los mexicanos que durante su lucha contra Francia «los Estados Unidos se convirtieron, por primera vez y sinceramente, en amigos y aliados de todos los Estados republicanos de América, y todos los Estados republicanos se convirtieron, a partir de ese momento, en amigos y aliados de los Estados Unidos». La amistad y alianza de que hablaba Seward no eran aún totales ni se habían formalizado, y numerosos obstáculos en la realización de una verdadera unidad interamericana habrían de surgir más tarde. No obstante, Juárez había demostrado la importancia del derecho a la autodeterminación de los pueblos del hemisferio; Seward distinguió vagamente la posibilidad de que se entablaran entre ellos relaciones basadas en el respeto al derecho de los otros. Juárez había hecho mucho al crear el respeto que debía existir antes de que se aceptara el interés en los derechos de otros.

Juárez regresó a la ciudad de México en 1867 sin conocer aún la repercusión de sus actos. Se reintegró a su tarea de reconstrucción, muertos ya muchos de sus partidarios y otros insatisfechos ya de su administración. Los resultados a corto plazo se acumularon y oscurecieron la importancia de lo que ocurrió al país. El presidente reanudó sus intentos de reformar la economía, buscó cambios políticos que fueran benéficos en el futuro y concentró casi toda su atención en la construcción de escuelas públicas, base del desarrollo. Mucho de lo que se había propuesto hacer no lo realizó y falleció en medio de una tempestad de críticas; empero, es imposible negar su consagración a la prosecución de sus aspiraciones. Parece ser que nunca olvidó su origen ni los infortunios de sus primeros años. Al combatir a los conservadores y al arrojar del país a las fuerzas de Maximiliano le guiaba constantemente su deseo de hacer justicia y de dar oportunidades iguales a hombres cuya situación era semejante a la suya.

Aun si se dan por válidas todas las críticas que se suscitaron contra él —algunas por supuesto pueden refutarse—, y aun si se le evalúa sólo por el éxito o el fracaso de la Reforma, sus realizaciones fueron importantes. Treinta años antes de la revolución de Ayutla se había tratado de introducir cambios fundamentales en México, pero esos esfuerzos quedaron incumplidos por razones diversas. Con el advenimiento de la época juarista, segundas y terceras generaciones de mexicanos pudieron buscar por donde sus predecesores lo habían hecho sin fruto, y al cabo los cambios fueron posibles. El país que Juárez dejó al morir era diferente con mucho del que conoció al llegar a la edad adulta.

Hacía 1872 la independencia ya no corría peligro y era poco lo que constituía una amenaza real a la integridad nacional. Los monarcas mexicanos, del tipo de un Iturbide o de un Maximiliano, habían pasado a la historia. Subsistían diferencias políticas y con el tiempo la revolución habría de venir, pero la oposición tradicional de liberales y conservadores, tan degradante a menudo, había tocado a su fin. Se había aceptado un liberalismo vagamente definido e ingenuo que ya no desaparecería. Santa Ana era un mal recuerdo y las circunstancias que habían favorecido su aparición y desaparición de la escena habían cambiado definitivamente. Se habían sentado las bases de un programa educativo que, por débil que fuera, seguiría siendo una parte importante de todo programa de reforma mexicano iniciado a partir de entonces. Aunque aún no se habían incorporado plenamente a las instituciones del país, se habían dado esperanzas y atención a las necesidades de los indígenas. Las rivalidades regionales continuarían, pero los daños causados por el regionalismo se habían reducido y se seguirían reduciendo en los años siguientes. Lo más importante de todo es que el poder de la Iglesia había disminuido considerablemente, si no desaparecido por completo. «Tal vez ningún país había desplegado una crónica más abundante, compleja y pintoresca, en el espacio de unas cuantas décadas, que México...». Y Juárez fue el individuo más directamente responsable de ello.

Por toda la América Latina los liberales se esforzaban por alcanzar resultados semejantes con la esperanza de cambiar a sus países. El grado de éxito variaría, algunos no llegarían a tanto como se llegó en México, pero ahí estaba el ejemplo de éste para inspirarlos y para probar que el cambio podía ocurrir. Las prerrogativas de la Reforma en México no diferían del pensamiento liberal europeo y muchos países de aquel contienente pasarían por procesos similares sin tener siempre conciencia de que estaban emulando a una generación de mexicanos.

Se puede atribuir el incumplimiento de muchos de los deseos de Juárez a la naturaleza y la extensión de la oposición que encontró, más que a su incapacidad o incomprensión de lo que se necesitaba hacer. Muchas de las primeras reformas fueron necesariamente negativas, pues fueron intentos de poner fin a los abusos y a los obstáculos que se interponían al cambio. Hasta que ésas no fueran efectivas sería imposible alcanzar objetivos más positivos. Recuérdese que el tiempo de que dispuso Juárez para implantar la Reforma fue mucho más corto de lo que su carrera política sugiere. Durante la guerra de Reforma no hubo oportunidad de aplicar un programa, y entre aquélla y la Intervención no hubo más que un corto período de paz. Durante la ocupación francesa y el imperio de Maximiliano el Gobierno tenía la preocupación capital de sobrevivir, por lo que era imposible hacer otra cosa. Prácticamente la única oportunidad que tuvo Juárez de concentrarse en un programa doméstico coherente con la Reforma fue la época entre la muerte de Maximiliano y la suya propia. Incluso entonces hubo de enfrentarse a escasos recursos y a la oposición militar, aunque no de dimensiones significativas, que desviaron su atención.

Las tareas que se impuso acaso fueran demasiado grandes para poderse cumplir durante la vida de cualquier persona. Aún se puede decir que muchos de sus ideales no se han logrado todavía, después de más de un siglo en que se han sucedido unos a otros dirigentes competentes y bajo auspicios muchos más favorables. No es fácil saber qué pensaba Juárez de sí mismo. Se tiene la impresión de que en un cierto nivel nunca dejó de ser el profesor dedicado y ejemplar, que hizo lo que pudo al ritmo que se le presentaba en el papel que el destino le había reservado. Otras veces parece que tenía conciencia de su lugar en la historia y que estaba decidido a hacerse sentir. Por ejemplo, se había acostumbrado a la completa libertad de acción que la necesidad le había brindado mientras luchaba contra los conservadores o contra Maximiliano; tanto es así, que le era inconcebible no presentar su candidatura para la reelección o que no se le concedieran los poderes que fueran. Como comentó un historiador, «su mente y todas sus cavilaciones interiores estaban rodeadas de una concha tan gruesa que incluso a sus biógrafos les ha sido imposible penetrar en el santuario». Independientemente de sus motivaciones internas, o de la psicología que mejor las explique, los resultados están ahí, para ser vistos y juzgados, y la historia los ha juzgado bien.

Se ha debatido siempre qué es más importante, si un hombre o su tiempo, y esto vale para Juárez y su época. No es posible dar una respuesta única. México atravesaba un proceso de cambio aun sin Juárez, y los cambios que ocurrían influyeron en él y en las oportunidades y retos que se le presentaron. Tenía las suficientes cualidades para llegar a ser grande, pero en otro tiempo o con otros sucesos es posible que no hubiera dejado la huella que dejó. A su vez, la época que le tocó vivir hubiera terminado de diferente manera si él no hubiera existido. Él hizo que sucedieran cosas o, al menos, que no sucedieran determinadas cosas. Sea cual sea la respuesta a estas digresiones filosóficas, no cabe duda que Juárez influyó en la historia de México como ningún individuo lo había hecho y que su influencia fue benéfica y duradera.

Lo usual es que se elogie a un hombre después de muerto, y a un gran hombre se le elogia en todas partes. Así sucedió con Juárez, pero en su caso las alabanzas póstumas son más que mera formalidad. Con pocos individuos vienen a la mente frases adecuadas para describirlo con tanta facilidad y con tanta convicción como sucede con Juárez. Frases como hombre del pueblo, honor y dignidad, justicia e igualdad, desgracias y tribulaciones, perseverancia y dedicación, honestidad y obstinación, estas y muchas otras vienen a la mente cuando se escribe o se piensa en Benito Juárez. Por supuesto que ello no es accidental, no es ningún truco propagandístico, sino sólo el resultado de una apreciación objetiva del hombre y su época.

Al día siguiente de la muerte de Juárez, Thomas A. Nelson, ministro de los Estados Unidos, escribía a José M. Lafragua, ministro de Relaciones Exteriores: «No es el tiempo de pronunciar un juicio imparcial sobre la notable carrera pública y los servicios prominentes prestados por el presidente Juárez, pero aseguro a usted que el Gobierno de los Estados Unidos deplorará con su muerte la pérdida de un amigo seguro entre los dirigentes de otros gobiernos. El pueblo norteamericano, acostumbrado por largos años a identificar el éxito del presidente Juárez con el triunfo de las libertades civiles y la reforma ilustrada, lamentará la muerte de uno de los patriarcas del republicanismo.»

El tiempo ha añadido mucho pero alterado poco las observaciones de Nelson. Es hora de que se haga un juicio imparcial de

Juárez como nunca se ha hecho de ningún hombre. Se le identificaba y se le identifica aún con las libertades civiles y la reforma ilustrada, y se le consideraba y se le considera aún como el patriarca del republicanismo, Más importante que esto, y tal vez más importante que cualquier afirmación que se pueda hacer sobre Juárez, es el comentario de Sierra de que había que escuchar a Juárez pronunciar el nombre de Morelos para comprender su respeto y su estima por el líder revolucionario. Hoy, y durante muchos años, basta con oír pronunciar el nombre de Benito Juárez para darse cuenta del respeto y el afecto que le guardan el campesino o el trabajador medio, respeto y afecto merecidamente ganados.

Bibliografía

—Alcina Franch, José: *Benito Juárez*. Madrid: Historia 16, 1987.
—Cadenhead, Ivie E.: *Juárez*. Barcelona: Salvat editores, 1988.
—Galeana de Valadés, Patricia: *Benito Juárez: el indio zapoteca que reformó México*. Madrid: Anaya, 1988.
—Pérez Martínez, Héctor: *Juárez el impasible*. Madrid: Espasa-Calpe, 1934.

Índice

TÍTULOS PUBLICADOS EN ESTA COLECCIÓN

EMILIANO ZAPATA
Juan Gallardo Muñoz

MOCTEZUMA
Juan Gallardo Muñoz

PANCHO VILLA
Francisco Caudet

BENITO JUÁREZ
Francisco Caudet

MARIO MORENO "CANTINFLAS"
Cristina Gómez
Inmaculada Sicilia

J. MARÍA MORELOS
Alfonso Hurtado

MARÍA FÉLIX
Helena R. Olmo

AGUSTÍN LARA
Luis Carlos Buraya

PORFIRIO DÍAZ
Raul Pérez López

JOSÉ CLEMENTE OROZCO
Raul Pérez López

AGUSTÍN DE ITURBIDE
Francisco Caudet

MIGUEL HIDALGO
Maite Hernández

DIEGO RIVERA
Juan Gallardo Muñoz

DOLORES DEL RÍO
Cinta Franco Dunn

FRANCISCO MADERO
Juan Gallardo Muñoz

DAVID A. SIQUEIROS
Maite Hernández

LAZARO CÁRDENAS
Juan Gallardo Muñoz

EMILIO "INDIO" FERNÁNDEZ
Javier Cuesta

SAN JUAN DIEGO
Juan Gallardo Muñoz

FRIDA KHALO
Araceli Martínez

OCTAVIO PAZ
Juan Gallardo Muñoz

ANTHONY QUINN
Miguel Juan Payán
Silvia García Pérez

Salma Hayek
Vicente Fernández

Sor Juana Inés de la Cruz
Juan M. Galaviz

José Vasconcelos
Juan Gallardo Muñoz

Vicente Guerrero
Jorge Armendariz

Guadalupe Victoria
Francisco Caudet

Jorge Negrete
Luis Carlos Buraya

Nezahualcoyotl
Tania Mena

Ignacio Zaragoza
Alfonso Hurtado